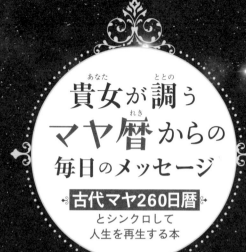

貴女（あなた）が調（ととの）う
マヤ暦（れき）からの
毎日のメッセージ

古代マヤ260日暦
とシンクロして
人生を再生する本

保存版 2020年～2065年

nami
ナ・ミ

マヤ暦探求家 ハートヘルスコンサルタント

みらい PUBLISHING

はじめに

　こんにちは。私はマヤ暦をベースに心身共に健康に導く専門家、ハートヘルスコンサルタントのNAMIです。

　本書のマヤ暦からのメッセージは、不満、不調を持つ方が1日1分、日々のメッセージを読み、意識して過ごすだけで不調を修正し、自分が本来望むことを思い出すメッセージです。

　私は現在、多くの方から様々な悩みをお聞きしていますが、中でも多いのが「自分のやりたいことが分からない」というお悩みです。

　そしてその方々には、以下のような共通する不調があります。

「検査ではどこも悪くないと言われるけど、体がだるい」

「体調を崩した原因が分からず、ストレスで片付けられ、どうしたらいいか分からない」

「子育てが一段落し、どこか虚しさを抱えている」等々……。

　一見、「自分のやりたいことが分からない」ことと、これらの不調はどう繋がっているのか、と思う方も多いかもしれませんね。しかし、マヤ暦のメッセージを学ぶと、それらは一つのことだということが分かってきます。

人生の不安、体の不調については、こうすれば良くなるという方法は世の中に色々あります。けれど、それが難しいメソッドだったり、簡単に続けられないものであったりするため、多くの方はそのままの状態で放置していることが多いのが現状のように思います。

　私自身、今から24年位前に、末期癌で余命宣告をされた時に、「病は気から。（見えない）心を整えると、体の病気も改善されるかもしれない」と言われたことから、それまで意識していなかった自然治癒力や浄化療法を学び、自分の心や体の声に寄り添うことを意識し始めました。

　手術も受けて体調は改善し、5年後に完治という診断を頂きました。20代半ばのことです。

　ほっとしたのですが、この先、自分の本来望むことは何だろう？　心や体に寄り添うこと、心を調える指針になるようなものはないかなぁ？　と自分に語り続けていた時、マヤ暦を知りました。

　初めてマヤ暦についての説明を聞いた時には、震えが止まらず、直感的に「これだ！」と心の中で叫んだことを今でも覚えています。なぜなら、マヤ暦では「時間は意識やエネルギーを表すもの」としていて、心のバランスを調える暦であると聞いたからです。

　まさに私が探していた心を調える暦だったのです。

マヤ暦と聞いて、どんな印象をお持ちでしょうか？　古代の暦？　占いでしょ？　と思う方も多いと思います。

　マヤ暦は、古代マヤ文明で使われた暦の呼び方です。そしてマヤ暦にも複数流派があり、私が探求しているのが1年260日サイクルのツォルキン暦（神聖暦）と言われている暦です。以下、呼び方を統一させたいので、ツォルキン暦のことをマヤ暦とさせていただきます。

　マヤ暦は1年を260日サイクルで回る宇宙の流れと自然の流れを取り入れ、心のバランスを調える暦です。日付はKIN1〜KIN260で表されます。先程も書きましたが、マヤ暦の特徴は、「時間は意識やエネルギーを表す」としているところです。

　マヤ暦が他の心のバランスを調える方法と何が違うのか？　それは物質的な目に見えるものだけを考察するのではなく、目に見えない宇宙や自然のエネルギーを取り入れた方法であることです。

　この本は、不調・不満が起こった時に、今の日にちをマヤ暦に照らし合わせて割り出し、そこから読み始めていくものです。日々のメッセージを心にとめて過ごしているうちに、解消への道筋が開いていきます。

　私自身が自然治癒力や浄化療法を学んだ上で、マヤ暦を知り、260日に込められたメッセージと同様のエネルギー

を持つものが自然界にはたくさんあることに気づき、独自に探求し自ら実践して、「できるだけ楽に簡単に」「毎日できること」を積み重ね、自分本来の望むことを思い出すサポートになるように、と本書を書きました。

「今、自分が何をしたいのか分からない方」「今の仕事が自分に合っているのか分からない方」「体調不良があるものの特にどこも悪くない方」「毎日忙しく時間にゆとりがない方」「漠然と将来への不安がある方」には、特に読んでいただきたい本です。なぜなら、これらはすべて、「心」で何か違和感があると感じているのに、その声を無視しているために起こる状態。そのまま放置するとより悪化してしまう可能性が高いからです。

　心と体のバランスが取れたら、その時は本書を手放していただいても結構です。でも、人生にはつらい時期が再び回ってくるかもしれません。そんな時、ぜひ思い出し、ページを開いていただきたいのです。本書のマヤ暦の早見表（現在の日にちをマヤ暦に当てはめて割り出す表）は、西暦2065年まで使っていただけるよう作成しています。
　１日１分、マヤ暦からのメッセージを取り入れ、今の不調から抜け出し、本来望むことに気づき、充実した彩りのある日常を手に入れて下さい。

ハートヘルスコンサルタント　nami

貴女（あなた）が調（ととの）う
マヤ暦（れき）からの
毎日のメッセージ

古代マヤ260日暦
とシンクロして
人生を再生する本

―目次―

必ずチェックして欲しい
4つの本書の読み方 …… 12

マヤの神秘 ――――

◆マヤ暦の秘密 …… 16

◆マヤ暦の流れは起承転結で成り立っています …… 17

◆宇宙を味方につける　～シンクロニシティ～ …… 19

◆マヤ暦は心力をつけるために有効です …… 20

◆不調の元である心に意識を向けることが大切 …… 22

ホロンワークについて …… 24

マヤ暦早見表 …… 30

赤 あなたの不調を明確にする52日
KIN1~KIN52

KIN1 ~ KIN13
不安や不調を解消するために、
まずはすべて味わおう！…… 34

KIN14 ~ KIN26
聞く耳を持ち、人も現実も、環境や状況も、
すべてを受け入れよう …… 41

KIN27 ~ KIN39
自分自身の抱えている今の不調と上手に付き合おう …… 48

KIN40 ~ KIN52
良いことも悪いことも同じようにとらえよう …… 55

column
自分本来の姿を引き出す13の音のキーワード……62

白 あなたの不調と向き合う52日
KIN53~KIN104

KIN53 ~ KIN65
自分の立場を認識し、必要ない不満を手放そう …… 66

KIN66 ~ KIN78
不安を手放し新しい自分を再生しよう …… 73

KIN79 ~ KIN91
善し悪しを見極めて必要ないものを手放そう …… 80

KIN92 ~ KIN104
自分自身の根を張り、不安を受け入れよう …… 87

column
発表し、分かち合うことの効果を
最大限に活かすために……94

contents

青 あなたの不調を改善させていく 52 日
KIN 105 ~ KIN 156

KIN 105 ~ KIN 117
不安、不満を悪いととらえず感じてみよう…… 98

KIN 118 ~ KIN 130
捨てる、手放す、視点を変えよう…… 105

KIN 131 ~ KIN 143
すべてにおいて楽しみ、気楽を意識しよう…… 112

KIN 144 ~ KIN 156
不安や不満と向き合い、
気づきのある生活を目指そう…… 119

column
"心" という見えないエネルギーに
意識を向けると自然治癒力が身につく……126

9

黄 あなたの不調を受け入れる52日
KIN157〜KIN208

KIN157〜KIN169
心から沸き上がる不安、不満を意識してみよう…… 130

KIN170〜KIN182
人間関係を築くことを意識してみよう…… 137

KIN183〜KIN195
もし、この不満や不安が無ければ……と
意識してみよう…… 144

KIN196〜KIN208
チャレンジすることを意識してみよう…… 151

column
体験された方のお声＆
これからの時代に欠かせない心力をつける習慣……158

緑 あなたの不調を調合する 52 日
KIN 209 ~ KIN 260

KIN 209 ~ KIN 221
自分の不調、不安、不満を見極め浄化を意識しよう …… 162

KIN 222 ~ KIN 234
不安、悩みと一緒に生活していくことを意識しよう…… 169

KIN 235 ~ KIN 247
柔軟な発想で物事を見ることを意識しよう…… 176

KIN 248 ~ KIN 260
すべての不調を受け入れ、軌道修正を意識しよう…… 183

おわりに…… 190

必ずチェックして欲しい
4つの本書の読み方

① スタート日（今日の日付）の見つけ方

　スタートの日を早見表で調べる方法、著者のブログで
チェックする方法の2つがあります。

　本書の読み方は、他の書籍とは異なり、マヤ暦からの
メッセージに合わせて1日ずつ読み進めていただくため、
最初から読む本ではありません。あなたが今この本を読ん
でいる日がいつなのかを、必ずP.30－P.31の早見表、も
しくは私のブログでチェックしていただきたいと思いま
す。

　ブログ検索は「マヤ暦　大阪」で検索するとトップペー
ジに出てきます。

　「アラフォー女子が心力をつけて本来望む姿を思い出す
マヤ暦からのメッセージ！ in 大阪」

　http://ameblo.jp/emeral/ →

② 本書のマークの見方

　マヤ暦の日にちを表す KIN の文字の中に以下の印がある日は各日のメッセージと合わせて意識して過ごしてみて下さいね。

●印がある日

「**黒 KIN**」と呼ばれる日。とても強いエネルギーが流れる日。

　この日は特に思ったことや行動したことが現実になりやすい日です。バタバタしたり急いだりすることも起きやすいのでゆとりを持って行動する日です。

★印がある日

「**絶対拡張の刻印日**」と呼ばれる日。この日は「物事が拡がる日」で、新しく始める、目標を立てる、人に話すなどをすると、そこから流れが変わる日です。

◆印がある日

「**極性 KIN**」と呼ばれる日。1つのことを極めると良い日です。物事を拡げるために、極めることを意識して行動する日です。

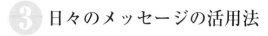

❸ 日々のメッセージの活用法

　毎日メッセージがありますが、予定の先取りもできます。例えば夜には明日のエネルギーに目を通して準備できることはしておいてもいいでしょう。逆に KIN で勝負の日を探して、大事な予定をその日に合わせてスケジュールを組むこともできます。お好きな方法でご活用下さいね。

❸ 発表し、分かち合うことの効果

　任意ですが、本書を購入して下さった方のみ、FBグループに無料でご参加頂けます。本書の表紙、購入した時のレシートまたは購入履歴を添付の上、P.94 掲載のアドレスにメール下さい。グループのアドレスをお送りします。詳しい申し込み方も P.94 をご参照ください。
　おわりに、でも書いていますが、マヤ暦は今現在も探求しています。サポートも含め内容もブラッシュアップしてFB では不定期ですが、投稿していく予定です。本書を1日1日、読み進めていただくと分かりますが、「メモしておきましょう」、とか、「FB グループに入っている方は投稿して下さいね」という日が時々あります。自分1人では難しいことも、他の方の投稿を参考にしたり励まし合ったりすることで思い出すきっかけになることが多々あります。

-・◇※〉〈※マヤの神秘※〉〈※・-

マヤ暦の秘密

「はじめに」のところでも書いていますが、マヤ暦は宇宙の流れや自然のリズムを取り入れ、心のバランスを整える暦です。

この暦はメキシコのグアテマラ辺りで栄えた暦であり、この時代のマヤ民族は高度な天文学や建築学、科学や数字にも優れた民族と言われ、中でも天文学に優れており太陽や月をはじめとする星の動きや流れを読み取り、時間は「意識やエネルギー」という観念を創り出しました。

マヤ暦の解釈には複数流派がありますが、心のバランスを整えるサイクルが260日であり、これは20と13の数字から成り立ちます。

マヤの人たちはこの20と13の数字を大切に意識していたと言われています。この260日サイクルは「20の紋章」と「13の銀河の音」そして赤、白、青、黄の4色に分けられ、色には意味があります。

赤は「始動」白は「取捨選択」青は「変化」黄は「完成」の意味のエネルギーが流れ、起承転結で表されています。

この260日サイクルには宇宙に存在するすべてのエネルギー、叡智が含まれています。その中には相反する強弱、火水、上下、左右、男女、陰陽など、そして多くの方が認知されている太陽、月をはじめとする惑星、自然界の生物、

植物、水、土、風などのエネルギーがあります。

　それらの多くのエネルギーには、人の呼吸の数や関節の数、女性の生理周期などと深い関わりがあることから、そのエネルギーを取り入れることで、人の不調を心身共に整えていくことができるようになります。

　マヤ暦の流れを日常に取り入れると、自分のやりたいことに気づいたり、人や物、出来事はじめ宇宙が味方になり、宇宙や自然に委ねる生き方へシフトし、頑張ることがなくなる、つまり、「シンクロニシティ」が起きていきます。

マヤ暦の流れは起承転結で成り立っています

　260日は52日ずつ5つに分けられ、起（物事を起こす期間）承（善し悪しを振り分ける期間）転（変動、変化する期間）結（固める、完成させる期間）マトリックス（鋳型を整え再スタートに備える準備期間）のサイクルになっています。

　この260日サイクルでは、季節が春夏秋冬の順に訪れるように赤（起）→白（承）→青（転）→黄（結）の順で回っています。それぞれの52日サイクルも同様に起承転結で回り、13×4（起承転結）＝52日サイクルとされています。

しかし、この起承転結だけでは208日サイクルであり、最後に起承転結を振り返り再スタートに備える52日が加わることで心のバランスを整える暦の完成とされています。

　これは 20 × 13 = 260 である自然の定数により表されています。

　52日の中でも起承転結があり、13日ずつ心のバランスを整えるサイクルがあり、より人の心の深い部分にまで繋がることができるようになります。

　具体的には人が持つ五感（視覚、聴覚、嗅覚、味覚、触覚）を刺激し、心や体に語りかけること、その日のエネルギーと同様のエネルギーを持つオススメの食事やアロマ、花など、自然に触れることを日常に取り入れていきます。

　暦に合わせて日常に取り入れていくことで自然と日々の出来事や物のとらえ方が変わっていきます。そしてそこには単に続けていくだけでなく、常に自分の相棒である心や身体、宇宙や自然、出来事、チャンス、人のサポートがあります。あなたが不調を取り、本来望むことを思い出すために、あなたをいつも見守っていることをお忘れなく。

　マヤ暦の260日は「KIN（キン）ナンバー」と呼び、本書では、KINナンバーとして掲載しています。KINとは日にちを表しています。

宇宙を味方につける
〜シンクロニシティ〜

　ここでシンクロニシティについて、話をしたいと思います。

　あなたにも経験があることと思います。例えば「気になる人のことを考えていたらその人から連絡がきた」「欲しいなぁと思っていた物が友人から送られてきた」「会いたいなぁと思っていた人と偶然街で会った」「駅に着いたらタイミングよく電車が来た」「同じ数字を1日に何度も見た」など…。

　このようにすべて良いタイミングで物事が運んでいくことがあります。これがシンクロニシティで、「その方向に進んでOK」という宇宙からのサインと言えます。マヤ暦からのメッセージを日常に取り入れるとシンクロニシティによってスイスイと自分の望む方向へと誘導されていくことを体験することでしょう。私自身もこれまでに何度もシンクロンシティによって誘導されたことを体験しています。

　必要な時に必要な人、物、サポートがやってきて頑張らずに望むことが次々と叶えられるようになっています。

　マヤ暦からのメッセージを日常に取り入れていくとシンクロニシティが起きやすい人の特徴を10個あげてみま

した。

「素直な人」「柔軟な人」「宇宙の流れを信頼している人」「執着を手放している人」「遊び心がある人」「心の声に耳を傾けている人」「人の縁を大切にする人」「自然を愛でる人」「心にゆとりを持っている人」「感謝の気持ちを表している人」

いかがでしょうか？　10個のうち6つ以上に該当するとシンクロニシティが起きやすい状態と言えるでしょう。

ぜひあなたもマヤ暦からのメッセージを日常に取り入れ、シンクロニシティを体験して下さい。

マヤ暦は心力を
つけるために有効です

マヤ人の挨拶で「イン・ラケッチ」という言葉があります。これは「あなたはもう1人の自分」という意味を持ちます。要するに「あなたと私は1つである」という考え方です。その考えを元に自分に置き換えると、自分の心も体も常に一緒であり、自分の人生を歩むために常に共に在る相棒であるととらえると、「私の相棒である心は何と言っているのか？」「私の相棒である体は何を欲しているのか？」と、気になりませんか？

あなたが今、自分には何が向いているか分からない、毎

日不快感や憂鬱な気分でいる、体調不良が続いているという場合は、自分の心や体から、「このまま放置しないで」、「向き合って気づいて」というメッセージかもしれません。

　マヤ暦からのメッセージを生活に取り入れ、この不調に向き合うと、様々な変化が現れる方がいらっしゃいます。

「原因不明の痛みが取れなかったが、痛みと向き合うことで痛みがなくなり、天職を見つけ日々ハツラツと動き回っている方」

「職場で頑張っているのに評価されず満たされなかったのが、満たされない不満に向き合うことで転職、今では仕事が楽しく充実している方」

「子育てが一段落して心にぽっかり穴が空いたような虚しさを感じていたが、虚しさと向き合うことで物作りに目覚め、毎日が満たされた生活を送っている方」

「独身で、この先老後１人で迎えるのかという漠然とした不安を持っていたが、老後に１人でいることの不安と向き合うことで、生涯のパートナーを見つけられた方」

　年々、不調とは無縁の人生を歩まれる方が増えています。

　そして皆さんに共通することが「頑張らずに続けることを見つけている」ということです。頑張るとは、我を張ることですので、宇宙の流れに反する力のように思います。「人事を尽くして天命を待つ」状態でしょうか。

　私たちは日々、食事をして体の栄養を摂り体力をつけ成長しています。このように体力をつけるために食事や運動

をされる方は多いと思いますが、同じように心の栄養を摂る、つまり心力をつけることを意識している方はほとんどいないのではないでしょうか？　心にも栄養を摂ると、内側からエネルギーが溢れ、不満や不安、不調は解消されていきます。

　このように日々の継続が今の自分を作っていると言っても過言ではありません。日々のメッセージに合わせて心に栄養を与えて心力をつけて下さい。

不調の元である心に意識を向けることが大切

　突然ですが、あなたは自分の心や体は、自分がコントロールできると思っていますか？　答えはノーです。なぜなら自分の心や体が自分でコントロールできるのであれば不調は起きないからです。

　コントロールできることとは、何でも思うようになる、できることを言います。ですので、電化製品や服、カバンなど、あなたが所有するものはコントロールできます。暑い時はエアコンの電源をオンにすれば涼しくなります。

　もし自分の心や体も思うようにコントロールできるのであれば、体調不良の方は自分で治せますし、虚しさを感

じる方も嫌なら感じなければいい、満たされない不満を抱えている方も、とっくに無くなっているはずです。

では、どうしたら不調を無くすことができるのでしょうか？　それは、あなたの心や体をコントロールしようとすることを止めることです。

もう少し別な言い方をすれば、心や体はあなた「自身」ではなく、あなたが生きるため、必要なことを教えてくれる「相棒」なのです。

体内の臓器、骨、血管、血液、神経、細胞は何の指示もしなくても、常にそれぞれの役割を果たし、あなたの体が動くサポートをしてくれています。心臓のオンオフスイッチを自分でできる人はいないでしょう。

あなたが抱えている不調は、すべてあなたの内側に存在する相棒からのメッセージです。「虚しさ」「未来への不安」「満たされない不満」といった心の在りようが、「だるい、しんどい、痛い」という不調として現れるのです。

心で意識し感じることは長く抱いていればいるほど、体に伝わり、体調不良という形で痛み、痒み、熱、凝り、不快感などあらゆる形で「あなたの本当に望むことに気づいて欲しい」というサインを送っています。

不調の元である心に意識を向けましょう。それだけですべては好転していくのです。

ホロンワークについて

　マヤ暦では「人のホロン」という考え方があります。

　ホロンとは全体性（宇宙）を表します。宇宙に存在する地球上にいる人は、小宇宙ととらえ、日々のマヤ暦からのメッセージには、人の体の一部分（手と足の指）からエネルギーが入るとされています。

ホロンワーク
の
やり方

　目を閉じてその日ごとにエネルギーが入る指を意識します。両手・両足の 20 カ所あります。

　例／赤い竜の日（P.27を参照して下さい。）

　右手の人差し指から今日のエネルギーが入り、その指から体全体にエネルギーが入るイメージをします。

　具体的には右の人差し指→右手首→右ひじ→右肩→首→左肩→左ひじ→左手首→左手全体→頭→胸→お腹→腰→両足全体という具合にその日にエネルギーが入る指から体全体にエネルギーが流れるイメージをします。

これを深呼吸と合わせてしてみましょう。

　息を吸う時は右手の人差し指からエネルギーを取り込み、吐く時は吸い込んだエネルギーを体全体に巡らすイメージで3呼吸してみましょう。時間にして2分くらいかと思います。

　手や足の指からエネルギーが入るため、体の流れる順番が首や腰で別れますが順番は特にどちらが先でも構いません。大事なことはどこかから入り、体全体に流れるイメージをすることです。

　別の日も、入る場所は違いますが、そのあとの流れは同じです。

　ホロンワークを20日連続で深呼吸と共に実践すると、体全体が癒され、心身のバランスが整うと言われています。

　毎日、朝や夜にされることをオススメしますが、自分の好きな時に試していただけたらと思います。日々のメッセージに合わせてやる、または日々のメッセージを実践できない日があっても、宇宙の流れに合わせられるワークです。

エネルギーの入る場所 [1]

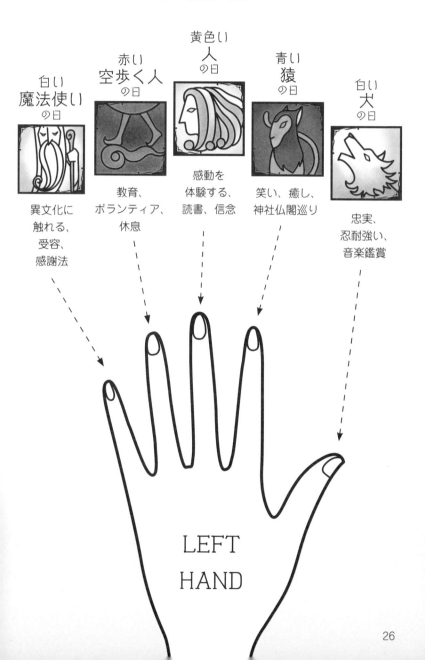

白い
魔法使い
の日

異文化に
触れる、
受容、
感謝法

赤い
空歩く人
の日

教育、
ボランティア、
休息

黄色い
人
の日

感動を
体験する、
読書、信念

青い
猿
の日

笑い、癒し、
神社仏閣巡り

白い
犬
の日

忠実、
忍耐強い、
音楽鑑賞

LEFT
HAND

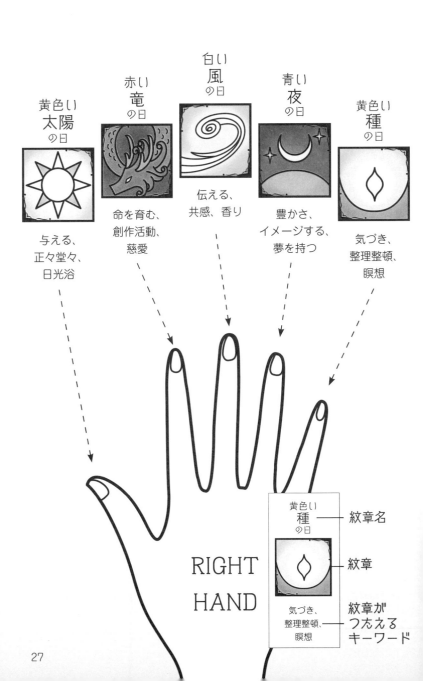

黄色い
太陽
の日

与える、
正々堂々、
日光浴

赤い
竜
の日

命を育む、
創作活動、
慈愛

白い
風
の日

伝える、
共感、香り

青い
夜
の日

豊かさ、
イメージする、
夢を持つ

黄色い
種
の日

気づき、
整理整頓、
瞑想

RIGHT
HAND

黄色い
種
の日 ——— 紋章名

♦ ——— 紋章

気づき、
整理整頓、
瞑想

**紋章が
つたえる
キーワード**

27

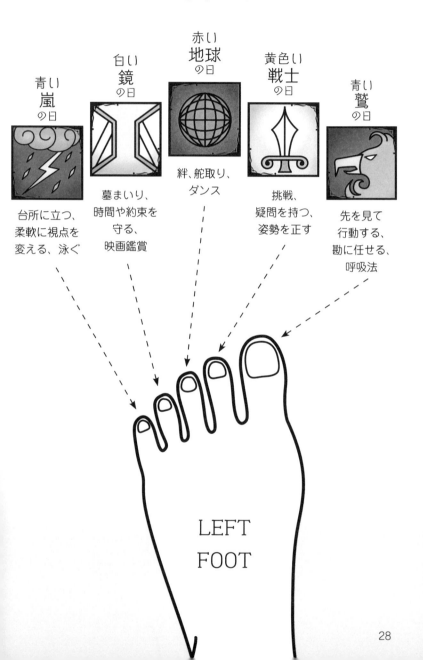

青い
嵐
の日

台所に立つ、
柔軟に視点を
変える、泳ぐ

白い
鏡
の日

墓まいり、
時間や約束を
守る、
映画鑑賞

赤い
地球
の日

絆、舵取り、
ダンス

黄色い
戦士
の日

挑戦、
疑問を持つ、
姿勢を正す

青い
鷲
の日

先を見て
行動する、
勘に任せる、
呼吸法

LEFT
FOOT

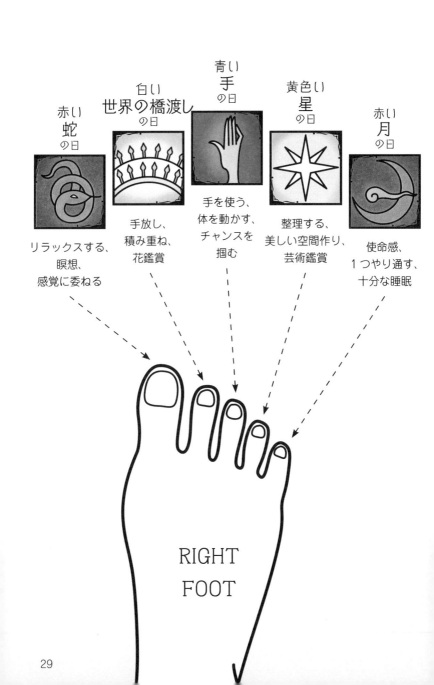

赤い
蛇
の日

リラックスする、
瞑想、
感覚に委ねる

白い
世界の橋渡し
の日

手放し、
積み重ね、
花鑑賞

青い
手
の日

手を使う、
体を動かす、
チャンスを
掴む

黄色い
星
の日

整理する、
美しい空間作り、
芸術鑑賞

赤い
月
の日

使命感、
1つやり通す、
十分な睡眠

RIGHT
FOOT

マヤ暦早見表

あなたの知りたい日の KIN の調べ方

手順① **年**（西暦）と**月**の交わる数字を下記の表から探して下さい。

手順② 該当する**数字**と**日にち**を足し合わせた数字がその日のKINになります。

注意：出てきた数字が 260 より大きい場合は260を引いて下さい。

年			1月	2月	3月	4月	5月	6月	7月	8月	9月	10月	11月	12月
1910	1962	2014	62	93	121	152	182	213	243	14	45	75	106	136
1911	1963	2015	167	198	226	257	27	58	88	119	150	180	211	241
1912	1964	2016	12	43	71	102	132	163	193	224	255	25	56	86
1913	1965	2017	117	148	176	207	237	8	38	69	100	130	161	191
1914	1966	2018	222	253	21	52	82	113	143	174	205	235	6	36
1915	1967	2019	67	98	126	157	187	218	248	19	50	80	111	141
1916	1968	2020	172	203	231	2	32	63	93	124	155	185	216	246
1917	1969	2021	17	48	76	107	137	168	198	229	0	30	61	91
1918	1970	2022	122	153	181	212	242	13	43	74	105	135	166	196
1919	1971	2023	227	258	26	57	87	118	148	179	210	240	11	41
1920	1972	2024	72	103	131	162	192	223	253	24	55	85	116	146
1921	1973	2025	177	208	236	7	37	68	98	129	160	190	221	251
1922	1974	2026	22	53	81	112	142	173	203	234	5	35	66	96
1923	1975	2027	127	158	186	217	247	18	48	79	110	140	171	201
1924	1976	2028	232	3	31	62	92	123	153	184	215	245	16	46
1925	1977	2029	77	108	136	167	197	228	258	29	60	90	121	151
1926	1978	2030	182	213	241	12	42	73	103	134	165	195	226	256
1927	1979	2031	27	58	86	117	147	178	208	239	10	40	71	101
1928	1980	2032	132	163	191	222	252	23	53	84	115	145	176	206
1929	1981	2033	237	8	36	67	97	128	158	189	220	250	21	51
1930	1982	2034	82	113	141	172	202	233	3	34	65	95	126	156
1931	1983	2035	187	218	246	17	47	78	108	139	170	200	231	1
1932	1984	2036	32	63	91	122	152	183	213	244	15	45	76	106
1933	1985	2037	137	168	196	227	257	28	58	89	120	150	181	211
1934	1986	2038	242	13	41	72	102	133	163	194	225	255	26	56
1935	1987	2039	87	118	146	177	207	238	8	39	70	100	131	161

注意：閏年の場合は 2 月 28 日で出して下さい。
（例）2020 年 7 月 15 日→ 93 ＋ 15 → KIN108
（例）2024 年 2 月 29 日→ 103 ＋ 28 → KIN131

年			1 月	2 月	3 月	4 月	5 月	6 月	7 月	8 月	9 月	10 月	11 月	12 月
1936	1988	2040	192	223	251	22	52	83	113	144	175	205	236	6
1937	1989	2041	37	68	96	127	157	188	218	249	20	50	81	111
1938	1990	2042	142	173	201	232	2	33	63	94	125	155	186	216
1939	1991	2043	247	18	46	77	107	138	168	199	230	0	31	61
1940	1992	2044	92	123	151	182	212	243	13	44	75	105	136	166
1941	1993	2045	197	228	256	27	57	88	118	149	180	210	241	11
1942	1994	2046	42	73	101	132	162	193	223	254	25	55	86	116
1943	1995	2047	147	178	206	237	7	38	68	99	130	160	191	221
1944	1996	2048	252	23	51	82	112	143	173	204	235	5	36	66
1945	1997	2049	97	128	156	187	217	248	18	49	80	110	141	171
1946	1998	2050	202	233	1	32	62	93	123	154	185	215	246	16
1947	1999	2051	47	78	106	137	167	198	228	259	30	60	91	121
1948	2000	2052	152	183	211	242	12	43	73	104	135	165	196	226
1949	2001	2053	257	28	56	87	117	148	178	209	240	10	41	71
1950	2002	2054	102	133	161	192	222	253	23	54	85	115	146	176
1951	2003	2055	207	238	6	37	67	98	128	159	190	220	251	21
1952	2004	2056	52	83	111	142	172	203	233	4	35	65	96	126
1953	2005	2057	157	188	216	247	17	48	78	109	140	170	201	231
1954	2006	2058	2	33	61	92	122	153	183	214	245	15	46	76
1955	2007	2059	107	138	166	197	227	258	28	59	90	120	151	181
1956	2008	2060	212	243	11	42	72	103	133	164	195	225	256	26
1957	2009	2061	57	88	116	147	177	208	238	9	40	70	101	131
1958	2010	2062	162	193	221	252	22	53	83	114	145	175	206	236
1959	2011	2063	7	38	66	97	127	158	188	219	250	20	51	81
1960	2012	2064	112	143	171	202	232	3	33	64	95	125	156	186
1961	2013	2065	217	248	16	47	77	108	138	169	200	230	1	31

KIN 1
〜
KIN 52

赤
— あなたの不調を明確にする52日 —

KIN1 〜 KIN52の期間は起承転結の「起」、物事を起こす期間です。
自然界は種を蒔かないと作物は育たないのと同じように
私たちも実際に行動を起こすことを意識しましょう。
その時のポイントは「アレコレ考えないこと」です。
人は考え出すと結局行動しないことに繋がります。
何か大きなことでなくても「実際に動く」ことが大切な52日間です。
行動すると新しいエネルギーが流れ、変わり始めます。

カレンダー内のマークの見方
● 印がある日＝「黒KIN」と呼ばれる日。とても強いエネルギーが流れる日。
★ 印がある日＝「絶対拡張の刻印日」と呼ばれる日。この日は「物事が拡がる日」。
◆ 印がある日＝「極性KIN」と呼ばれる日。1つの事を極めると良い日。
※詳しくはP..12「本書の読み方」を参照してください。

あなたの不調を明確にする期間

KIN**1** 〜 KIN**13**

不安や不調を解消するために、
まずはすべて味わおう！

1日1日のメッセージから、まずは自分自身と向き合う、今抱
えている不調をただ感じる、これが不調を解消するための第
一歩の行動です。
「はじめに」のところでも書きましたが、自分に語りかけるだ
けで大丈夫です。それで気づかなかったことに気づけると、
不調が解消していきます。

KIN

赤い竜（イーミッシュ）
赤い竜
音1

心新たに何か新しいことを始めましょう。
先祖や両親を大切にして新しい出発をしましょう。

今日はマヤ暦ではとても強いエネルギーが流れ、思ったことや行動した
ことが現実になりやすい●印の日です。事始めに最適です。不安や心配
から生じる今の不調が解決に繋がるキッカケとなる日です。
自分の相棒である心と体に語りかけましょう。何でも大丈夫です。自分
の心と体に向かって「いつもありがとう、良いタイミングで私に必要な
ことを教えてね」と言って自分で体を擦ってみて下さい。また、「私の
〇〇の痛みや不満、悩みが解消されました」など、まずは「決めてしま
う」と、そこから流れが変わります。決めたことを手帳などに書く、FB
グループ（序章に記載のあるFBグループ）に入っている方は投稿して
下さいね。また、今日は親や先祖に日頃の感謝を伝えてみましょう。

2
KIN

白い風（イーク）
赤い竜
音2

新しい風は不安がつきもの、できるだけ大胆になることで大きな成果が期待できる日です。挑戦するものをハッキリ明確にしましょう。

大胆に行動してみると良い日です。不調で何もできない方も大きく深呼吸を15回してみましょう。オススメは1呼吸を4拍で吸って8拍で吐くやり方。これを15回してみて下さいね。時間にして約3分です。
この呼吸をすると副交感神経が優位になってセロトニンというホルモンを分泌することに繋がるため、免疫力が上がり不調が整います。ぜひ、朝昼夜と深呼吸してみましょう。
また普段の日課から離れてみましょう。例えば家から駅、駅から会社まで、いつもと違う道を歩いてみましょう。昨日「決める」ことができなかった人は今日決めることを明確にしてみて下さいね。昨日決めた方は再度、決めたことを確認して目標を明確にしてみましょう。

3
KIN

青い夜（アクバル）
赤い竜
音3

夢を膨らませ、積極的に外に出ましょう。
自分の夢を明確にしましょう。

心の豊かさ、イメージするエネルギーが流れている日です。ぜひ、ご自分の今の状況からではなく、理想の自分とはどんな自分でいることか？どんな自分だと心がワクワクするのか？　イメージしてみましょう。イメージできる方は実際に手帳やノートに描いてみましょう。
何もイメージができない方も大丈夫です。好きな物を食べる、好きな物を見る、好きな音楽を聴くなど、自分が好きな物で、自分を囲んでみましょう。また外に出て自然の風景を眺めたり、四季折々の自然に触れると、あなたの心や体が刺激されます。そして自分がイメージしたこと、自然に触れて感じたことを誰かに話してみましょう。話す＝離すでもあり、不調を解消するにはとても大切なことの1つです。

KIN 4

黄色い種（カン）
赤い竜
音4

整理整頓しスッキリさせましょう。悩みの多くは人や物に由来するのでスッキリさせることを意識しましょう。

今日 [黄色い種] [赤い竜] の日は、断捨離に最適な日です。身の周りをスッキリさせると、実感できる場合もあれば実感できない場合もありますが、確実に不調は取れています。どこか1か所だけをきれいに片付ける、掃除をする、実際に物を捨てる、などをしてみましょう。
どこをきれいにしようか、特に思いつかない方にオススメなのが、玄関をきれいにすることです。不調で何もできない方は、深呼吸（15回）3分を朝昼夜3回やってみましょう。
宇宙は調和と循環のエネルギーで成り立っています。整理整頓しきれいにしたり、物を捨てると、そこにスペースができ、新たな視点、新たな気づき、新たな物が入ってくる準備ができます。

KIN 5

赤い蛇（チークチャン）
赤い竜
音5

自分の心に正直に素直に従ってみましょう。
自分の思いをさらけ出しましょう。

今日は自分の心に耳を傾け、今自分が何を欲しているのかを感じてみましょう。〇〇がしたい、〇〇が欲しい、〇〇を見たいなど、今自分の心は何と言っているのか？ 感じてみましょう。何も感じない方も大丈夫です！ 自分が好きな物、できるだけ感触が心地いいと感じる物に触れましょう。ペットやフワフワする肌触りが良い物がオススメです。
私たちが存在している地球も、宇宙と同じく調和と循環のエネルギーが流れています。素直な気持ちで自分の心に向き合ってみましょう。
「音5」の日は「自分の中心を定める」エネルギーが流れています。KIN1の日に決めたこと、始めたことで変更や修正することはないか、自分の気持ちに向き合い、思いを書き出してみて下さいね。

白い世界の橋渡し（キーミー）
赤い竜
音6

細かいところにも気を配り、相手の視点で物事を見つめてみましょう。周囲との調和を保つことを意識しましょう。

人はそれぞれに悩みを抱えながら共に生きています。すべての悩みをなくすのは不可能で、全く悩みがない人はいないのではないでしょうか？その理由は、宇宙には相反するエネルギーが共存し生かされるからです。陰陽、光影、善悪、上下、男女、寒暖など。ですから今あなたが抱えている不満、不安があるからこそ、生きるエネルギーになっているのです。今日はその不満、不安に、感謝の思いをそっと向けてみましょう。不満や不安に感謝することはなかなか難しいかもしれませんね。でも、不満や不安が良くないもの、理解できないことだとしても、そこに執着してイライラしたり拒否するのではなく、一旦保留にし、私は不満を感じている、私は不安を抱いている、という具合に自分に寄り添ってみましょう。

青い手（マニーク）
赤い竜
音7

チャンスやきっかけを掴みやすい日。
体をいたわり、感動を意識し大切にしましょう。

アレコレ考えずに気持ちのおもむくままに行動してみましょう。
あなたの不満はあなたに何に気づいて欲しいと訴えているのか？　あなたの不安はあなたに何を教えてくれているのか？　心に優しく語りかけてみましょう。
心から感動すると人の細胞に伝わり、自然治癒力や免疫力が上がることが科学的に証明されています。映画を見て感動する。体を動かして喜びを感じる。美味しい食事を食べて満たされる。好きな音楽を聴いて癒される。好きな絵画や芸術を鑑賞して体全体を癒す、などもいいでしょう。どれが1つ実際に試してみましょう。そして何をしてどんなことを感じたのかメモしておきましょう。

黄色い星（ラマト）
赤い竜
音8

不要な物は捨てましょう。
心の内面を絵や文章で形に表してみましょう。

今日は手仕事で自分を表現してみましょう。部屋を片付け、部屋に花を飾ってきれいに整えるなどをオススメします。片付けや掃除をするとスッキリしますので心の不満、不安も少しはスッキリします。
花は私たちと同じ自然界に生きる生き物です。花には、人のストレスを緩和し、副交感神経を活性化し、肩の筋硬度を低下させる力があると科学的にも証明されています。花は喋りませんが、そこにあるだけで、自然ときれいだと感じ、笑顔になるのではないでしょうか。1輪で十分ですので、季節の花や気になる花を飾ってみましょう。できる方は飾った花の写真を撮っておきましょう。人は他人が飾った花より自分で飾った花に最も癒される効果があります。癒されると、不要な物を手放すことに繋がります。

 赤い月（ムールク）
赤い竜
音9

自分の心に思いを寄せてみましょう。
流れに任せゆったりと過ごしてみましょう。

今日の[赤い月]には、「浄化」のエネルギーが流れています。水に触れるとシンクロ（P.19参照）する日です。泳ぐ、水に触れる、お白湯を飲む、お風呂などでいつもよりゆったりと過ごす時間を持ってみましょう。
また、「音9」の日は「傾聴」のエネルギーが流れています。人の話、自分の内側の声に耳を傾けることを意識してみて下さいね。
そして、何かふと思ったことをやってみるのにオススメの日です。できる範囲で新しいことや心が楽しいと感じること、ワクワクすることをして過ごしてみましょう。
ふと思ったこと、新たな気づき、ワクワクしたことがあればメモしましょう。FBグループに入っている方は投稿して下さいね。

白い犬（オク）
赤い竜
音10

自分が愛おしく思えるものに自分を捧げてみましょう。
仕えるということを考えてみましょう。

マヤ暦は、人の心の中心に在る魂の刻印記憶を思い出し、心からイキイ
キと光輝くために、自分はもちろん人を理解し愛することを知る、愛と
光を学ぶ暦と言われています。愛は言葉や態度で表現しないと感じませ
んし伝わりません。日ごろ、自分自身にどれだけ感謝の気持ちを届けて
いますか？　例えば息が自然にできていること、目が見えていること、
不満、不安を感じる心を持っていること、数えきれないくらいあること
と思います。これらはすべて当たり前ではなく、体はそれぞれの役割を
果たしてくれているのです。
今日は1つのことを極めると物事が拡がる◆印の日です。体や心に対し
て、直接「いつもありがとう。○○してくれて」と自分自身の相棒であ
る心や体に感謝の気持ちを伝えましょう。

青い猿（チューエン）
赤い竜
音11

心のわだかまりを解放し創造力を広げて周囲と分かち合いま
しょう。オリジナリティを尊重しましょう。

[青い猿] [赤い竜] の日は、見える命と見えない命を育む日です。命は
1人ひとりが毎日同じ時間をどのように過ごすのかで、育まれていきま
す。自分の感覚を大切に自分が心から楽しむことをして過ごしましょう。
私は何をしている時が楽しいの？　と自分の心、体に聞いてみましょう。
できる範囲で、「楽しい！」と心身共に感じることをたくさん積み重ねて
いくと、自分の個性やオリジナリティが明確になっていきますよ。
何をしている時が楽しいのか、いまいち感じられない方は、自分で自分
をほめてみましょう。いつも思うように体が動いてくれて、ありがとう。
食事をしたら、味を感じることができてありがとうなど。自分の体をほ
めてみましょう。どんな感じがしますか？　メモしてみましょう。

KIN 12

  黄色い人（エブ）
赤い竜
音12

自分の周りをよく見渡してみましょう。
理解し、協力して問題やテーマに取り組みましょう。

人と分かち合う気持ちを意識して過ごす日です。
人は姿形が違うようにみんなそれぞれの価値観や考え方、とらえ方を持っています。だからこそ、不満や不安は他人に由来することが多いのです。そうだとすれば、今抱えている不満や不安は、あなたが考えないでいいことかもしれません。
例えば「職場の人の態度に不満を抱えている」「家族のこんな振る舞いにイライラする」とか、「気になる人が何を考えているか分からず、不安になる」……など。これらは、相手のことなので、「こんな風に振る舞う、こんな態度を取る人なんだ」と理解する姿勢を持つだけでも、不満や不安は少しずつ軽減していきます。

KIN 13

  赤い空歩く人（ベン）
赤い竜
音13

普段と違う角度で自分を見てみましょう。「志は気の師なり」、志がしっかり定まることにより気の方向が決まる日です。

今日から4日間は、望みが叶いやすい日でもあります。
あなたが今不安に思っている、感じていることを自分視点だけではなく、客観的に見て、書き出してみましょう。不安は誰もが抱えている感情です。自分には重大であっても、人から見ると大したことではないかもしれません。それも含めて、今私が抱えている不安は、本当に抱えていていい不安なのか？　その不安を人とシェアしてみましょう。
今日は赤KINの13日目です。マヤ暦では「13」という自然のリズムが心を整えるサポートになります。この13日間を振り返り、やり残したこと、この日にこんなことがあったなど、書いておきましょう。FBグループに入っている方はぜひこの13日間に起きた出来事を1つ投稿してみて下さいね。

あなたの不調を明確にする期間

KIN14 ～ KIN26

聞く耳を持ち、人も現実も、環境や状況も、すべてを受け入れよう

赤の 52 日間は、物事を始める、起こす期間ですが、その中でも一旦、休む時は必要です。KIN14 ～ 26 の 13 日間は、動きの中でも一旦すべてを受け入れる時です。「アレコレ考えず、まずは受け入れる」。そのことを意識してみましょう。不調が解消していきます。

KIN14

白い魔法使い（イーシュ）
白い魔法使い
音 1

心を開いて目の前のことを受け入れましょう。
空回りしていると思ったら要注意。

モヤモヤした不満、何事も思うようにいかない時は、環境や心を整える必要があるサインなのかもしれません。今日は整理整頓し、どんな状況でも笑顔を忘れず過ごしてみましょう。整理整頓する場合は寝室をきれいに整えてみましょう。寝室は 1 日の 3 分の 1 を過ごす部屋です。寝室を整え整理整頓された部屋で過ごす時間を確保しましょう。

　今日は「音 1」の日です。この日は、事始めや何かスタートさせる、目標設定することに最適な日です。昨日から引き続き、望みが叶いやすい日でもあります。心にしっかり目標を刻みましょう。
これからの 13 日間はできるだけ笑顔で過ごすこと、不満や不安ときちんと向き合い、受け入れることをオススメします。

KIN 15

青い鷲（メン）
白い魔法使い
音 2

自分の信念を曲げずに貫きましょう。
新たな挑戦をするために削るものをハッキリさせましょう。

今日だけ、今週だけ、今月だけ、というように、今できることで何でも
いいので、「私のテーマ」をハッキリ決め、過ごしましょう。
ハッキリさせるのが億劫（おっくう）に感じる方は、[青い鷲] のエネル
ギーをサポートするキムチを食べてみて下さいね。その他、心と体を満
たすことをしてあげましょう。
また、気になる場所を 1 か所、きれいにしましょう。できれば自分が長
く居る場所、よく目につく場所がいいしょう。そこにライラックカラー
の花を飾りましょう。
すべてやらなくても大丈夫です。キムチを食べる、どこか 1 か所きれい
にする、花を飾る、自分がピンときたものを 1 つ実践してみましょう。

KIN 16

黄色い戦士（キーブ）
白い魔法使い
音 3

どんなことにもベストを追求しながら大胆にチャレンジしてみま
しょう。苦し紛れの言動に注意！ 簡潔、明快に語りかけましょう。

今日は考えるより、まず動いてみましょう。今はすべてを受け入れる 13
日間です。人、現実、環境、状況もすべてです。
不満や不安は、人に相談することで解消に向かいます。自分だけで抱え
ていると、どんどん苦しくなります。
誰かに話すと、解消されたり、持たなくてもいい気持ちだったと気づく
ことが多々あります。なぜなら、話す＝離すこと。つまり、話すことで
自分から離れていくのです。
人に話してみましょう。ただ、苦し紛れの言動、行動には注意を要する
日です。言葉と行動を一致させることを意識して下さいね。

KIN 17

  赤い地球（カバン）
白い魔法使い
音4

宇宙のサポートを感じる日。シンクロニシティ（P.19 参照）
が起きやすい日です。流れに逆らわず乗りましょう。

流れに逆らうほど、人生は生きにくくなっていきます。今日はできる限り、
流れに乗る、受け入れることを意識して過ごしましょう。
心で抱える不満や不安は、心で感じることであり、人との絆も同じよう
に心で感じることです。まずは今、自分はきちんと「今の自分のすべて、
不満も不安も含めて受け入れて過ごしているのか？」ぜひ自分の心と体
に聞いてみて下さいね。人との絆についても、同様に考えてみましょう。
夜寝る前に自分と向き合う時間を持ってみましょう。
[赤い地球] のエネルギーを感じる瞑想の言葉に「私は内なる中心と繋が
り、地球の力は宇宙の力と繋がる」という言葉があります。夜寝る前に
自分と向き合う時間に呟いてみて下さいね。

KIN 18

 白い鏡（エツナブ）
白い魔法使い
音5

1つのことにじっくり取り組みましょう。何に取り組むか自分の
中で優先順位を決めましょう。自分を見つめ内面を鍛えましょう。

自分の心の反映が表れる日です。目の前にある現実は自分の心の反映と
いうことに気づきましょう。今の状況を変えるには、心の状態、心の声
を聞いてみましょう。
「自分は何を思い、どうしたいのか？」物の見方、とらえ方は無限にありま
す。無限だからこそ、思い込みや、これが正しいという押し付けがな
いようにしましょう。私はこんなに頑張っているのに、私はこんなにあ
なたのことを気遣っているのに、ということはないですか？
鏡は映す役割があります。自分を他人の目で見ることを意識してみまし
ょう。客観的に見る力がついてくると、思い込み、押し付けが減り、人
を許すこと、受け入れることができるようになります。

KIN 19 ★

  青い嵐（カウアク）
白い魔法使い
音6

ダイナミックに動き回り、現状に甘んじないで前進しましょう。
エネルギーを吐き出し、結果よりプロセスを大切にしましょう。

今日はマヤ暦では絶対拡張する日と言われている★印の日です。
何か始めたこと、目標を立てたこと、心に刻んだことに拡がりをもたらすエネルギーが流れています。新しいことを始める日には最適です。
また自分だけで抱えている不満、不安も、打ちあけて解き放つことに最適な日です。抱え込まず、声に出して話してみましょう。スッキリしますよ。そして声に出したあとは、自分がこの不安、不満、不調から解放され、「楽しく元気に好きなこと、やりがいのあることをして日々過ごしています」と心に刻んでみましょう。
今日はとても強力なエネルギーが流れています。大胆に、アクティブに、パワフルに動いてみましょう。

KIN 20 ●

  黄色い太陽（アハウ）
白い魔法使い
音7

好きなこと、熱中できることに集中しましょう。
過去を悔やまないで今を精一杯、生きましょう。

今日はとことん好きなこと、熱中できることに集中して過ごしてみましょう。時間的余裕がない方はスキマ時間などを使って「自分が好きなことをしている姿」を想像してみましょう。想像すると、どんな感じがしますか？　楽しくしている自分はどんな感じでしょうか。
自分が好きなことが分からない、熱中できることが分からない方は幼少期や学生時代に人の目を気にしたり、人に言われて諦めたことはありませんか？　ぜひこのタイミングで思い出してみましょう。そしてどんな時に自分は熱中できるのか？　思いつく限り書き出してみましょう。あとで役に立つ時がくるかもしれませんので、自分がどんなことに熱中したのかをメモしておいて下さいね。

KIN 21

赤い竜（イーミッシュ）
白い魔法使い
音8

生きることの尊さ、目に見えないものの大切さを考えて！
自分の欲望は何か？　ハッキリさせましょう。

人、現実、環境、状況もすべて受け入れる13日間です。今日は目に見えない欲望を明確にすることで、不調を解消していきましょう。例えば風邪をひいたら風邪薬を服用するように目に見えないものは、見えないものに対する対処法が必要です。風邪をひいて胃腸薬は服用しないように、私たちの日々の様々な目に見えない問題は目に見えないものを意識することで、初めて目に見える形に表れます。仕事、家事、育児、趣味など、何か1つのことに打ち込んでみましょう。そのエネルギーはどこからきているのか？　仕事はお客様のため、家事は家族のため、育児は子供のため、趣味は自分自身のためなど、目に見えない気持ちが生きるエネルギーになっていることがわかると思います。欲望のエネルギーを自覚してみましょう。

KIN 22

白い風（イーク）
白い魔法使い
音9

素直な気持ち、謙虚さを失わないで過ごしましょう。万物（生物、鉱物、人工物や自然）に対して謙虚な気持ちを持ちましょう。

人の話に耳を傾け、共感してみましょう。人の話はよく聞くと気づきがあります。そして同じ話を聞いても人はとらえ方、抱く感情も違います。自分が正しい、という押し付けがましい態度は改めましょう。
会話で大切なことの1つに「相手の立場に立つ」ことがあります。夫婦、親子、仕事、それぞれの立場があります。これを察する姿勢が大切です。今は不調を明確にし、すべてを受容する時です。どんなことも、一旦受け入れましょう。イライラ、不安が募ることもあると思います。そんな時は、ゆっくりと深呼吸してみて下さいね。またできる方は朝晩2回、ホロンワーク（P.24参照）と合わせて3分深呼吸してみましょう。体調の優れない方は、朝昼夜の3回くらい行うことをオススメします。

KIN 23

青い夜（アクバル）
白い魔法使い
音10

イメージしましょう。イメージ（夢）が現実になりやすい日です。
直感力と想像力を研ぎ澄ましてみましょう。

自分の夢を想像してみましょう。今の自分と夢に差を感じる方は「夢が実
現しなくてもいい」と言ってみましょう。どんな感じがしますか？　ガッ
カリしたり、やっぱり私には無理よね、と勝手に判断していませんか？
想像は無限です。そして誰でも実現できるのですが、多くの人は夢と現実
に差を感じ諦めています。自分の心と体に語り、その差を埋めていきましょ
う。語りかける時は目を閉じ、ホロンワーク（P.24参照）をして「私
の○○な不調は解消し、○○の夢が叶いました」と自分自身に声をかけて
みましょう。昨日に引き続き3分深呼吸と共にすると効果的です。
[青い夜]の日は、夜に想像を膨らますとシンクロ（P.19参照）です。文
章や絵で描いておいたり、人に話すとますます具体的になっていきますよ。

KIN 24

黄色い種（カン）
白い魔法使い
音11

物事を見つめ直してみましょう。柔軟で素直な考え方が必要です。
自分の目だけで見ず、　他人の目で見ることを学んでみましょう。

今日は「気づきや目覚め」「開花」のエネルギーが流れています。種には、
様々な知識や情報が詰まっていますが、固いとその種を開花させること
が難しく目覚めることができません。光や水を与えると種は芽を出します。
今日は先々の不安、明日に対しての不満があっても、「そんなこともある
さ」とどんなことも受け入れることを意識してみましょう。そして今の
状況を受け入れられた自分に感謝の気持ちを伝えて下さいね。
目を閉じ深呼吸を3回しホロンワークをして「いつもありがとう。私が
今気づく必要があることは何か、教えてね」と言ってみましょう。
気づいたことがあればどんな小さなことでもメモしておきましょう。FB
グループに入っている方は、ぜひ投稿してみて下さいね。

KIN 25

赤い蛇（チークチャン）
白い魔法使い
音 12

自分の欲求に正直に生きましょう。
人に協力できること、役に立てることを意識してみましょう。

自分を必要としている人のために尽くしてみましょう。相談事に乗ってあげる、協力することもオススメします。
人は本来、自分以外の誰かの役に立つために、1 人ひとりがそれぞれ特徴を持って生まれていると言われています。そしてその特徴を生かし、人から喜ばれると人が持つ「利他的遺伝子」のスイッチが入り、体の免疫力を高める効果が期待できます。
[赤い蛇] のエネルギーを感じる瞑想の言葉に「私は体と叡智と活力に喜んで繋がり味わいます。」があります。私にとって人の役に立てることは何か？　自分に聞くことと合わせて呟いてみて下さいね。

KIN 26

白い世界の橋渡し（キーミー）
白い魔法使い
音 13

見返りを求めず、善なることを実践しましょう。見えないものを見る力、知らないものを知る力が湧き出てくる日です。

今日は「死と再生、手放す、橋渡し」のエネルギーが流れています。身の回りを整えると流れが変わる日です。物を捨てる、ネガティブな感情を手放すことをオススメします。ネガティブな感情を手放す時は、オススメの方法が 2 通りあります。① 手放すことを紙に書いてそれを思いっきり破って捨てましょう。② 目を閉じて深呼吸をして、自分自身に「私の抱いている○○な感情、○○をすべて手放しました。手放す方法を入手しました」と言いましょう。
聞く耳を持って、人、物、環境、状況を受け入れる 13 日間でした。いかがでしたか？　やり残したこと、やろうと思いつつできなかったこと、この 13 日間で実践したこと、メモしたことをまとめてみましょう。

あなたの不調を明確にする期間

KIN 27 〜 KIN 39

自分自身の抱えている今の不調と
上手に付き合おう

赤の 52 日間は、物事を始める、起こす期間です。その中で、このKIN27 〜 KIN39 の 13 日間は、「不調と上手く付き合う 13 日」です。
「アレコレ考えず、実践してみる」ことを意識してみましょう。

KIN 27

青い手（マニーク）
青い手
音 1

まず、行動しましょう。体と地球を癒す日です。自分の体、人の体、あるいは環境問題など、できることから始めましょう。

実際に動くことで、直感力が磨かれる日です。ぜひ、無理のない範囲で体を実際に動かしてみましょう。体を大きく動かさなくてもできる最も簡単な動き、それは「呼吸」です。ホロンワークをして、KIN2 の日を参照に、3 分間ゆっくりと深呼吸をしましょう。身体がポカポカしてきます。実際動ける方は、駅や会社では階段を使う、1 つ手前の駅で降りて歩く、街のゴミ拾いなど、できることで体を動かしてみましょう。また環境問題としては節水、節電を意識してみましょう。今日から始まる青い手の13 日間は、自分が実際に体を動かし体験することで何事も上手く対処できる期間です。この 13 日間で自分が体験できることを書き出してみましょう。FB グループに入っている方は目標を投稿して下さいね。

KIN **28**

黄色い星（ラマト）
青い手
音2

小さなことでも何かを成し遂げ、自分を率直に表現しましょう。
自分の人生と行動に真剣に向き合いましょう。

今日はどんな小さなことでも良いので、最後までやり遂げましょう。
漠然とした不安、原因が分からない不調、言っても仕方ない不満、みんな
多少は持っています。上手く対処している人は自分の限界を知っているか
ら、ということがあります。
人にはそれぞれ限界というものに差があります。同じ不満を抱えていても
Aさんは何ともなくて、Bさんは体調が悪い、ということも多々あります。
深呼吸を3分してホロンワーク（P.24参照）取り入れ「どうしたらその
不調と上手く付き合えるのか？　それは持っていて良いものか？」と自分
の心に聞いてみましょう。答えは自分の心が教えてくれます。何もしなく
て聞くだけで大丈夫です。まずは自分で自分の心と体と向き合いましょう。

KIN **29**

赤い月（ムールク）
青い手
音3

素直な気持ちを大切にしましょう。
真剣な気持ちで関心を外に向けましょう。

素直な気持ちとは、良いところ、良いことだけを受け入れるのではなく、
自分の不調もキチンと受け入れることです。受け入れず放置していると、
「気づいて欲しい」と、不満、不安が強烈な形で表れます。宇宙には相反
するエネルギーが存在し、私たちがいる地球も、様々な惑星と絶妙なバラ
ンスで存在しています。木を想像してみて下さい。根があり、幹があり、
枝、葉がつきます。根（動機）がないと幹や枝、葉はつきません。
不調の原因は何なのか？　不満の元はどこからきたのか？　その不安は
この先、何のために抱くのか？　考えてみましょう。
[赤い月]の日は水の力が強く流れています。足湯、半身浴など、ゆっく
りとバスタブに入って、身体を浄化し、自分に問いかけてみましょう。

KIN 30

白い犬（オク）
青い手
音4

今日のテーマは愛と許しです。
自分が満たされ存在しているように、許し、愛しましょう。

愛にも色々ありますが、自己愛について意識してみましょう。マヤ暦でいう自己愛とは、自分の心、体の声を聞いて日々過ごしているか？　ということです。これをしていると、常に自分自身が満たされているので人に何かしてもらいたい、かまって欲しいなどの依存する感情は軽減され、人との関係が良好になっていきます。

短い時間で大丈夫ですので、自分の心、体に、「いつも動いてくれてありがとう。私に今必要なことは何かな？　この不安は何のためかな？　この不満はなぜそう感じてるの？」という具合に、自分の声に耳を傾けてみましょう。また、自分を満たすことをするとシンクロ（P.19参照）の日です。好きな食事を食べて、しっかり味わいましょう。

KIN 31

青い猿（チューエン）
青い手
音5

柔軟な考えを持ちましょう。イマジネーション、想像力を広げてみましょう。楽しいことが見つかったら迷わず実行しましょう。

今日は自分が楽しいと感じることに熱中してみましょう。私にとって心底ワクワクする楽しいことは何か？　どんな時に私は楽しい！　と感じるのか？　まずは、自分の心の声を聞いてみましょう。

楽しむことを積み重ね、過ごしていくと、不調はいつの間にか解消され、自分のやりたいこと、好きなことで日々が包み込まれていくことに気づくでしょう。嫌なことではなく、楽しいことをできるだけ増やしていくことを意識しているので、精神的な不安、負担が軽減されていきます。

感度を高めるには季節の景色を体全体で味わうなど自然に習う、展覧会に足を運び、素晴らしい作品を鑑賞することなどで、感受性が養われます。これは、［青い猿］の精神生命を育むことにシンクロします。

KIN 32

黄色い人（エブ）
青い手
音6

周りの意見やアドバイスを客観的に受け止めることが大切です。自分の心の揺れ動きを静かに見守ってみましょう。

物の見方はたくさんあるということを受け入れてみましょう。自分を常に客観的に見て、相手を理解し受け入れることを意識して接していると、人間関係のトラブルは軽減していきます。

人は自分が辛い時ほど、理解して欲しい、分かって欲しい、受け入れて欲しいと思うものです。そういう時にはまず自分から人を理解する姿勢を意識してみましょう。姿勢を示すだけで理解できなくても大丈夫です。例えば忙しい人に、「何か手伝えることありますか？」と声をかける。「お疲れさま、これどうぞ」と差し入れをするなど。心は目に見えませんが、心遣いは見える形に表せます。理解する姿勢を少し表すことで、自分の周りに協力者がどんどん現れます。

KIN 33

赤い空歩く人（ベン）
青い手
音7

着実に実行していきましょう。出会いを通して自分の内なるものを呼び覚ましましょう。心に響くことに真剣にチャレンジを！

宇宙のエネルギーと繋がりやすくなる日です。不思議なもの、神秘なものは目で見えないですが、最も大切なサインで、チャンスや幸運をつかむことに関係があります。

そもそも運は中身（心）にあるので、心と上手く付き合っていない場合は本当の意味での幸運はつかめないのではないでしょうか？　人が体を動かす時も、体自身が勝手に動くのではなく、心が先に指示を出し、体が動きます。自分はどんな時に心から幸せを感じ、心から楽しいと感じるのか？どんな時に喜びを感じるのか？　書き出してみましょう。ちょっと面倒だと感じる方は、興味のあるセミナーや講演に出かけ、人との交流から探ってみましょう。気になったことはメモすることもお忘れなく！

KIN 34

白い魔法使い（イーシュ）
青い手
音8

今の自分の現実、状況、起きる出来事をすべて受け入れましょう。自分の殻に閉じこもらず様々なことを受け入れましょう。

人は毎日、様々な出来事や人、物、食べ物を含め、学び、吸収しています。今日はすべてにおいて、許し受け入れることを意識してみましょう。不調も、自分にとって必要な過程である、と受け入れましょう。
人は理想と現実に差がありすぎるとストレスを感じます。この差を埋めると、ストレスは最小限にまで減らせます。身体がだるい、痛みがあることも受け入れる。そして体に「いつもありがとう。今は休めないけど、週末は休める時間を取るね」など、声をかけましょう。不調からは不調が生まれ、調和からは調和が生まれます。これが宇宙の法則です。不調とどうすればうまく付き合っていけるのか？　自分の心と体に聞いてみましょう。

KIN 35

青い鷲（メン）
青い手
音9

それまで見えなかったものが見えてくる日。
テーマがハッキリしたら実行しましょう。

心の声を意識しましょう。心の声は聴くというより、感じる感覚です。これができるようになっていくと、目標を決め、自分でモチベーションを保つことができるようになります。
何度も書いていますが、心は意識しないと、感じることは難しいです。日々の生活も「不満だらけ」なのと「感謝だらけ」なのとでは、同じ空間でも感じる根底が違うので、全く違う日常になります。私たちは、当たり前ですが日々の積み重ねで成り立っています。
不調が続く時は、何か始めるより何かを止める時かもしれません。
［青い鷲］の日はテーマが明確になりやすいエネルギーが流れています。ゆっくり不調と向き合い、自分の心の声に耳を傾ける時間を持ちましょう。

KIN

36

黄色い戦士（キープ）
青い手
音 10

～～～～～～～～～～～～～～～～～～～～～～～～

大胆にチャレンジしてみましょう。自分の殻を破りましょう。
着実に、実際何か行動してみましょう。

～～～～～～～～～～～～～～～～～～～～～～～～

今日は考えるより、実際体を動かす、または話すことをしてみましょう。
人は考える能力が与えられていますが、アレコレ考えてしまうと、結局行
動しないことになる場合も多いと思います。例えば、勇気を出して参加し
たセミナーが楽しくなかった経験があると、また同じような結果になるん
じゃないか？　と思い巡らしてしまうかもしれません。
でも過去は過去、今は今です。また同じような結果になっても、勇気を出
し実際行動したということは、自分自身が最も分かっています。
実際行動した自分をほめましょう。そして不調を誰かに話してみて下さい
ね。どんなことにチャレンジしたか、書いておきましょう。

KIN

37

赤い地球（カバン）
青い手
音 11

～～～～～～～～～～～～～～～～～～～～～～～～

素直な気持ちで助言にしっかり耳を傾けましょう。
今日はシンクロが起こりやすい日です。

～～～～～～～～～～～～～～～～～～～～～～～～

シンクロニシティ（P.19 参照）を起こす時に大切なことは、自分が何に
共鳴するのかということです。例えば、過去の辛い体験を思い続けてい
ると、また辛いことを引き寄せます。今の状況をどう受け入れるかが大
事です。短時間でも楽しいことをして過ごすと楽しいことがやってくる
ので、「今の私の状況で楽しめる方法は何かある？」と自分の心と体に聞
いてみましょう。
難しい方は [赤い地球] のサポートになるマゼンタ色の花を 1 輪飾りま
しょう。花も生きています。「きれい」「かわいい」と声をかけるとイキ
イキと長持ちします。「それ聞いたことがあり、知っています」「それっ
て本当に効果ありますか？」と言う方もいます。実際、効果があるかど
うかは人により個人差があるようですね。

KIN
★38

白い鏡（エツナブ）
青い手
音12

自分は今、何に集中すべきかを考えてみましょう。
焦らず、時を見極めることを意識してみましょう。

何に共鳴するか、が大切な日です。「無限」と共鳴することを意識してみましょう。無限に続けばいいなぁと思うことを何か実際やってみましょう。最も簡単にできることは「笑顔で過ごすこと」「花を部屋に飾ること」です。笑顔は、自分だけでなく、周りの人にもいい影響を与えます。ブスっとした顔の人と、笑顔の人とでは、どちらが良い印象を持ちますか？　花が部屋にあると「きれいだなぁ」「いいなぁ」と癒されホッとすることと思います。それだけで大丈夫です。いいなぁと思う、その心が大切です。
心で思うことは次第に現実に表れます。いいなぁと思う物、思うことを引き寄せます。今、自分が思うようにいかない、うまくいかないと感じる方は心と向き合う、心の声を聞く、心が喜ぶことをしてみて下さいね。

KIN
●39

青い嵐（カウアク）
青い手
音13

惚れ込みましょう。自分は今、何に惚れ込んでいるか考えてみましょう。自分をどういう方向に向ければ良いか考えましょう。

今日で［青い手］の13日間が終わります。いかがでしたか？　自分の心と向き合い、大変な思いをされた方、明るい兆しが見えてきた方、できる限り、素直に行動できた方、時代の変わり目、年の変わり目、季節の変わり目の時は大きな転換期を感じている方もいらっしゃると思います。この13日間を振り返ってみましょう。そしてやり残したことがある方はそれをやりましょう。今日初めてこの本を読んだ方は、今自分は何を欲しているのか？　何に注目しているのか？　自分の心と体に聞いてみましょう。答えが分かっても、逆に何も思い浮かばなくても、聞いているうちにだんだんと気づいていきます。気になることはメモしておく、FBグループに入っている方はこの13日間の出来事を投稿してみて下さいね。

あなたの不調を明確にする期間

KIN40 〜 KIN52

良いことも悪いことも
同じようにとらえよう

赤の 52 日間は、物事を始める、起こす期間でしたね。それも
KIN40 からの 13 日間で最終となります。
この最後の赤の 13 日間は、不調も好調も同じように「アレコレ
考えず、平等にとらえてみる」ことを意識してみましょう。

KIN40

  黄色い太陽（アハウ）
黄色い太陽
音 1

無条件の愛をすべてのものに注ぎましょう。
今生きている喜びを周りに振りまきましょう。

不満や不安、不調、満足感、幸福感、健康もすべて、生きているから感
じること、体験することととらえてみましょう。太陽はすべての人に平
等に光を与えてくれます。人間もすべての状況を平等に受け入れましょう。
不調続きは表面だけの対処では根本が解決しないので改善されません。
不安は将来の自分を案じてのことで、悪いことではありません。すべて
と向き合い「色々なことを教えてくれてありがとう」と言ってみましょう。
満たされないことがあっても、これはなぜそう感じるのだろうか？　そ
してこれはどういうことなのか？　心と体に聞いてみて下さいね。
音 1 の日ですので、これから 13 日間の目標を立てましょう。FB グルー
プに入っている方は目標を投稿して下さいね。

41

赤い竜（イーミッシュ）
黄色い太陽
音2

自分がどれほど誰かのために見返りを求めない生き方をしてきたか考えてみましょう。困難なテーマが浮上しがちな日です。

どれほど見返りを求めず愛情を与えることができるかを意識してみましょう。余裕がなく、大変で困難な状況であっても、自分の心と体の声に耳を傾けることを続けていけば、やがては乗り越えられる時がきます。見返りを求めず、与えることをしていくと心豊かになっていきます。

様々なことに共通しますが、結果が出るにはある一定の自然の法則があります。それは「徹底してやる」ことです。コップに水を入れるとある一定の量が入ると溢れます。この溢れるところまでやると誰かの目に触れ思うように事が運んでいきます。自分は人に対して、見返りを求めて動いていないか？　無理していい人を演じていないか？　見返りを求めず、愛情を注ぎこめることは何か？　自分の心と体の声を聞いてみて下さいね。

42

白い風（イーク）
黄色い太陽
音3

共感を得て、生きることを考えてみましょう。
普段、自分が使っている言葉を整えましょう。

今日は言霊、想念の力を意識して過ごしましょう。私たちは日々呼吸をして生かされています。自分の発する言葉によって、好調も不調も引き寄せます。宇宙の法則には「同じものは共鳴する」という法則があります。美しい言葉や想念には美しいもの、美しい人が引き寄せられるのです。
言霊を美しく変換するには、・褒められた時「そんなことないです」→「ありがとうございます」・体調が優れない時「しんどい、だるい、疲れた」→「今日もお疲れさま、いつも動いてくれてありがとう」・仕事でミスをした部下に「何度言ったらわかるの！」→「どうしたら上手くできるか考えてみよう」など…。いかがですか？　このように、共感できる言葉、ポジティブな言葉を意識して伝えることをしてみましょう。

青い夜（アクバル）
黄色い太陽
音4

自分にしかできないことを考えてみましょう。
自分の本当に望むことを意識してみましょう。

今日は自分の心に向き合い、夢を明確にイメージしてみましょう。
人はそれぞれ、見た目も姿形も違うように、自分にしかできないことが与
えられています。そこに近づこうとする意識や姿勢が大切です。心と向き
合わず過ごしていると、心と体の連携がうまくいかなくなり、体調不良、
特に検査では何もないのに具合が優れない、ということが増えていきます。
そのまま放置すると、病名がつくようになる方もいらっしゃいます。
心の声、体の声を聞き、自分が本当に望むことをして過ごすことが、最も
自然で無理・焦りもなく、常にゆとりがあり心から豊かになる方法です。
自分が本来望むことは、他の誰でもなく、私自身（心と体）が知っている
のです。また、今日がお天気なら、外に出て陽を浴びて下さいね。

 黄色い種（カン）
黄色い太陽
音5

掘り下げてみましょう。
やるべきことの優先順位を決めましょう。

何事も順序が大切です。春には春の、夏には夏の、最も美しい花が咲き
人を楽しませてくれます。人も誰かの人生ではなく、自分の人生を生き
ることが最も自然で美しい姿ではないでしょうか？
自然は自らが最もきれいに咲く姿や時期を教えてくれます。準備の時、
咲かせる時、休む時、すべてに順序があり、きれいに咲くことができます。
人もこのサイクルが大切です。体調が優れない時は、できる範囲で休む
ことを優先する。不安や心配は、自分にとって大切なことを教えてくれ
るサインなので、そのこととキチンと向き合う時間を優先することです。
優先順位を決めて、目標設定をしましょう。目標を立てると、何も決ま
っていなくても、意識が働き、そこに向かう準備ができます。

KIN 45

  赤い蛇（チークチャン）
黄色い太陽
音6

自分に正直に生きてみましょう。昨日を悔いることなく、明日を思い煩うことなく、今という時を精一杯生きてみましょう。

当たり前に感じがちですが、今の積み重ねが明日に繋がり、当たり前のことをキチンとする姿勢が充実した日々に繋がります。毎日当たり前に過ごせていることに感謝の思いを忘れず、まずは今目の前にあることを、コツコツこなしましょう。自分の現状を受け入れ、精一杯生きましょう。
不安は、自分のことを案じ、沸き上がる素直な感情です。不満は何かを改善する必要がある時、募る感情です。私たちの体は、必要に応じて、自動的に身を守るためにサインを送ってくれています。そのサインを有難く受け入れましょう。不安や不満を感じる時は「私の身を案じてくれてありがとう」「このサインは何を教えてくれているの？」と自分の感情に素直に向き合いましょう。

KIN 46

  白い世界の橋渡し（キーミー）
黄色い太陽
音7

倦むことなかれ……、途中で嫌になってはいけない日。
下積みをしないといけないエネルギーが流れる日です。

すぐに解決しない、なかなか改善しないことも、それぞれに解決する時期、気づく時期があります。自分に起こることはすべて必要なことと思いましょう。私たちが毎日食べている野菜も、土を育て、種を蒔き、水や肥料、光を吸収し、芽を出し、育ち、収穫して初めて食べられるようになります。この間、野菜によって色々ですが2か月〜4か月ほどです。
不調は突然起きたかのように感じますが、お知らせのサインはあったのです。でも、ほとんどがそのことに気づきません。なぜなら、最初は心の小さな不満や不安に原因があるからです。
今日は自己中心的になりすぎると、空回りする日でもあります。力を貯え、今できることを粛々と受け入れましょう。

KIN 47

  青い手（マニーク）
黄色い太陽
音8

自分にしかできないことを考えてみましょう。
自分の本当に望むことを意識してみましょう。

物事を理解しようとする時、頭で理解せず、心で感じること（辛い、悲しい、苦しい、楽しい、喜びなど）を大切にしましょう。そうすることで人の痛みや気持ちも、理解できるようになります。

人生は楽しいことばかり続くと飽きがきます。苦しいことばかりが続くと辛くなります。どちらも当たり前になり、そこから楽しみや感謝を見出していけないようになります。

天候と同じく人も元気な日もあれば不調な日もあります。今日は自分の力を過信せず、周りの力を借りて過ごしてみましょう。太陽の光、風、雨、空気、家族、友人、職場、社会、国、すべてが存在することで、自分が生かされています。できないこと、できない時は、誰かにお願いしましょう。

KIN 48

  黄色い星（ラマト）
黄色い太陽
音9

耳を澄ませてみましょう。（心の声が聞こえてくるかも）
自分の心に贅沢をさせてあげる日です。

今日は [黄色い星] [黄色い太陽] と、どちらも「光輝く」エネルギーが重なる日です。

本当の意味での光輝くこととは内面の充実を感じることではないでしょうか。自分は何をしている時に充足感を感じるのか？　自分は何をしている時、楽しいと感じるのか？　それを自分の心に聞いてみましょう。

[黄色い星] は、芸術に触れると開運のエネルギーが流れてきます。好きな映画、好きな音楽、絵画を鑑賞するなど、何か心から好きだと感じることをして過ごしてみましょう。難しい方は [黄色い星] のサポートになる黄色いユリ、もしくは黄色い花を飾りましょう。どんな感じがしますか？感じた思いをメモしておきましょう。

KIN **49**

赤い月（ムールク）
黄色い太陽
音10

自己の克服、自己コントロールしましょう。
心にゆとりを持ちましょう。

押入れを片付けたらスペースができ、新たな物を収納できるのと同じように、ゆとりを持つと脳にスペースができ、新しい物を吸収することができます。いつも満杯だと収納したくてもできない状態を自分で作っていることになります。

人は知らず知らずのうちに日々の生活の中で不必要な物を目に見える形で、または見えない感情として持っていたりするものです。

今日は葛藤しやすい日かもしれませんが、浄化してみましょう。瞑想、座禅、呼吸法、半身浴、お気に入りの香りなどを楽しみましょう。好きな音楽を聴いたり、素直に涙を流し、必要ない感情は紙に書いて破ってみましょう。ゆとりを忘れず、ただ流れに身を任せてみましょう。

KIN **50**

白い犬（オク）
黄色い太陽
音11

責任を果たしましょう。自分らしさとは？　を考えてみましょう。孤独感を持つと深みにはまりやすい日です。

[白い犬] には家族愛のエネルギーが流れています。どんな人にも良いところはあります。それを見つけることを意識してみましょう。

例えば「暗い人」は「優しい人」、「のろまな人」は「丁寧な人」、「お節介な人」は「親切な人」、「鈍感な人」は「独自の世界観を持っている人」、そして「失敗ばかりする人」は「たくさん挑戦している人」など…。見方を変えてみましょう。

今日は●印と◆印が重なることから自分が思ったこと、行動したことを極めると強力なエネルギーが流れます。人に対する不満や不安をたくさん持っていると、孤独にはまりやすい日です。できるだけその人の良いところに目を向けていくと、不満や不安は解消していきます。

KIN 51

  青い猿（チューエン）
黄色い太陽
音 12

困難や重圧があっても楽しみを見出し、乗り越えましょう。
のびのびとできる日です。

［青い猿］の「遊び心、楽しむ」エネルギーが流れています。何事も創意
工夫することを意識して過ごしてみましょう。
不満は生きているから感じる素晴らしい感情です。また不安は、この先の
自分を大切に思っているからこそ感じる感情です。不調は、自分の心の声、
体の声に耳を傾けて欲しいという自分からのサインです。
何もかも１人で抱えられることはなく、持てるものは微々たるものです。
誰かに話してみると、楽になることもありますし、誰かに話すと解決に繋
がることもあります。
人に話すことに抵抗がある人は、氏神にお参りする、もしくは自分自身に
話してみましょう。声に出すとスッキリしますよ。

KIN 52
  黄色い人（エブ）
黄色い太陽
音 13

感化、影響を与える人となりましょう。
直感力を大事にする日です。

人はそれぞれに素晴らしい能力が与えられ生かされています。その能力
を使い生きることが最も自然で健康な状態と言えます。人はみな違う価
値観を持ち、受け止め方も違います。人のことを理解する姿勢だけでも
持つと、人生はずいぶん楽に生きていけますし、理解する姿勢を示すと、
それは相手に伝わります。心は見えませんが、心遣いは見える形にできま
す。今できる範囲でいつも思うだけで行動に移していないことをして
みましょう。今日で「赤　あなたの不調を明確にする 52 日」が終わりま
す。できる限り自分と向き合い、心の声、体の声に耳を傾け、明確にし
ましょう。メモしたことを振り返り、これはやっておこうと思うことが
あれば、やってみて下さいね。

⌁ column ⌁

自分本来の姿を引き出す
13 の音のキーワード

　マヤ暦では、20 の紋章と共に 13 の音のエネルギーも日々回っています。

　ここには「自分本来の姿を思い出す」音のメッセージを、キーワードとして載せています。日々のメッセージと合わせてご活用くださいね。

　　「音 1」・・・リーダー、決断、受容

　　「音 2」・・・白黒ハッキリさせる、挑戦、分析する

　　「音 3」・・・互いに支える、尽くす、教える

　　「音 4」・・・自己探求、専門性を追求、構想する

　　「音 5」・・・目標設定、方向を定める、欲を持つ

　　「音 6」・・・マイペース、平等、相手を思いやる

　　「音 7」・・・調整、的を絞る、良い思い込み

　　「音 8」・・・調和、世話好き、人と接する

　　「音 9」・・・新しいこと好き、人を元気づける、傾聴

　　「音 10」・・・プロデュース、仕上げる、物作り

　　「音 11」・・・パワフル、オリジナリティ、開き直る

　　「音 12」・・・共存、共有、相談役

　　「音 13」・・・没頭、器用、待つ姿勢

気づいたこと、決めたことなどを書いておきましょう
† MEMO †

気づいたこと、決めたことなどを書いておきましょう

† MEMO †

KIN53 〜 KIN104

白

— あなたの不調と向き合う52日 —

KIN53 〜 KIN104の期間は、起承転結の「承」、善し悪しを振り分ける期間です。削ぎ落すエネルギーが働き、忍耐が必要な52日です。
赤の52日間で実際に行動したこと、種を蒔いたことで変化が表れます。
この間に「本当にそれを成長させていくのか？ それとも手放すのか？」という試されることが起こります。自分自身と向き合い、内面を見つめ、育むのか、手放すのか、じっくり見極めていきましょう。

カレンダー内のマークの見方
● 印がある日＝「黒KIN」と呼ばれる日。とても強いエネルギーが流れる日。
★ 印がある日＝「絶対拡張の刻印日」と呼ばれる日。この日は「物事が拡がる日」。
◆ 印がある日＝「極性KIN」と呼ばれる日。1つの事を極めると良い日。
　　　　　　　※詳しくはP.12「本書の読み方」を参照してください。

あなたの不調と向き合う期間

KIN 53 〜 KIN 65

自分の立場を認識し、
必要ない不満を手放そう

この 13 日間は「善し悪しを振り分ける」期間の中でも、
今の自分を受け止め、必要ない不満を手放すことを意識して
過ごす時期です。
特に身近な空間から必要ない物を手放す、整えることを、意
識してみて下さいね。

KIN 53

赤い空歩く人（ベン）
赤い空歩く人
音 1

人が喜んでくれることを何か 1 つしてみる、または謙虚な姿
勢を意識して過ごしてみましょう。

今日はほんの少しの優しさ、気遣いなどを心がけましょう。笑顔で挨拶
をする、優しい言葉をかける、電車で座席をゆずるなど、家族や出会う
周りの人に対して意識してみましょう。
心は見えませんが、心遣いは行動や言葉に表すことができます。これは
お金もかからず、気持ち 1 つでできます。無理せず、自分のできること
から 1 つずつ喜んで頂けることをしていきましょう。
また、今日は目標を立てることに最適な日です。書くと記憶に残り、意
識すると脳内にアンテナが立ち、その目標に必要な情報をキャッチしま
す。今日はこれをやる！　とか、この 13 日はメッセージと向き合う！
と決めるなど、この 13 日間の目標を書いてみましょう。

KIN 54

白い魔法使い（イーシュ）
赤い空歩く人
音2

すべてにおいて柔軟に対応することを意識して過ごしましょう。
陰で良いことを1つしてみましょう。

すべてにおいて柔軟に受け入れることを心がけましょう。人からあれこれ
言われ感情的に反論したくなる時は、一旦受け入れてから答えを出すよう
にしましょう。
心も体も凝り固まり疲れている方は温かいスープをいただいて、ホッとす
る時間を持ちましょう。
また、できる方は陰で良いことをしてみて下さいね。例えば誰にも言わず
にトイレ掃除をする、食事を作る時や準備する時は「美味しくなってね」
と声をかけながら作ることをしてみましょう。声をかけて作った食事は多
くの方が美味しかった、完食してくれたという声が多いです。ぜひ試して
みてはいかがでしょう？

KIN 55

青い鷲（メン）
赤い空歩く人
音3

長く過ごす場所を整えることにエネルギーを注ぎましょう。
整える場所は色々やるのではなく、1か所に集中しましょう。

今日は自分が長く過ごす場所、リビングや自分の部屋、机のどれか1つ
をきれいにしてみましょう。
リビングを整える方はリビングに不要な物が出したままになっていない
か、確認してみましょう。例えばソファに服を置いていたり、バッグを
置きっぱなしにしていたら片付けましょう。
自分の部屋を整える方は部屋の中の1か所、引き出しだけ、床だけ、収
納ケース1つだけ、という具合に1か所をきれいに整えましょう。
どこかをきれいに整えたら、自分にご褒美をあげましょう。美肌効果が
高く、ホルモンバランスも整えてくれるローズヒップティーを飲んで体
を癒して下さいね。

KIN 56

黄色い戦士（キーブ）
赤い空歩く人
音4

体（お腹や喉）に感謝の気持ちを伝え、体に違和感のある部分、疲れているところがあれば、そっと手を当ててみましょう。

［黄色い戦士］は喉、［赤い空歩く人］はお腹辺りのエネルギーに対応します。今日は食べた物をいつも当たり前に消化吸収してくれる内臓に、また、当たり前に声が出せる喉に、手を当てて「いつもありがとう」と声をかけてみましょう。
また、頭痛がする、肩が凝っている、目が疲れているなど、体のどこかに違和感や異変がある方は、その部分に手を当てて、同じように声をかけてみて下さいね。人との会話のあとや、食後のタイミングでやってみましょう。
そして今日の食事のメインには、疲労回復に効果のある「鶏肉」がオススメです。

KIN 57 ★

赤い地球（カバン）
赤い空歩く人
音5

家や職場など自分と家族、多くの人と一緒に過ごす場所を掃除する、きれいにしてみましょう。

家か職場かどちらかを決めて、その場所をきれいにしてみましょう。特に今日からの4日間は「断捨離」に最適なエネルギーが流れています。きれいにする時のポイントがあります。「この場所をきれいにしたら他の人が過ごしやすいだろう」ということを意識してきれいにすることです。例えば家族全員の布団、ベッドをきれいにする、職場の人と共有で使用する電話などをきれいにしてみましょう。
また今日は何か新しいことを始めたり目標を立てると拡がる日でもあります。自分の心と体に目標を宣言してみましょう。
始めたこと、今日会った人、今日の出来事は箇条書きでもいいのでメモしておきましょう。

KIN 58

白い鏡（エツナブ）
赤い空歩く人
音6

実際に物を捨て、身の回りをスッキリさせましょう。言葉と行動を一致させましょう。夜寝る前に腹式呼吸をしましょう。

これまでにきれいにしてきた空間の中で不要な物があれば捨てましょう。散らかった場所では気づかなくても、きれいに整えられると、不要な物が見えてきます。特にないと思っても、見回すと何か必要ない物があるかもしれません。あれば捨ててみて下さいね。
また、自分の使う言葉と行動が一致することを意識して過ごしましょう。
例えば、「今日はこれと○○をやります」と言ったらその通りにできるように心がけてみましょう。
今日1日の実践をできた方は体の代謝を上げる効果のある生姜湯を飲む、または納豆を食べてみましょう。
1日の終わりに腹式呼吸を5回して心身ともにスッキリさせて下さいね。

KIN 59

青い嵐（カウアク）
赤い空歩く人
音7

家のお風呂場をきれいにして、花を飾りましょう。
何事にも没頭して取り組むことをしてみましょう。

今日はお風呂場のバスタブ、排水溝などの水周りをはじめ、できれば天井や壁面など、普段手を入れない所も拭いてきれいにしましょう。
また、花や観葉植物などを飾りましょう。花には人の心を健康に導く力があります。
統合医療の世界的権威のアンドルー・ワイル博士は人の精神性を高めることに最も簡単な方法は花を活けることだと仰っています。
花は私たち人と同じく自然界の生き物で、花は自分自身を最も美しくきれいに咲かせています。その花を見ていると、自分も同じ、他の誰かではなく自分の人生を生きることが大事、と、その大切さを教えられます。
ぜひ何気なく目に留まった、いいなぁと思った花を活けてみましょう。

60

黄色い太陽（アハウ）
赤い空歩く人
音8

自分の持ち物（服、バッグ、くつ）を大切に扱うことを意識して過ごしましょう。実際に感謝の言葉を表してみましょう。

今日は普段着ている服、持ち歩くバッグ、はいている靴、どれかをきれいにする、また大切に扱うようにしてみましょう。
例えば帰宅したら靴に「今日も1日お疲れ様でした、お陰様で今日も無事過ごせました、ありがとう」と声をかけて磨いておきましょう。できる方は服やバッグにも同様に声をかけて、所定の場所へ置くようにしてみましょう。
また、お世話になっている人や癒してくれるペット、植物、昨日花を飾った方は花に、いつものお礼の気持ちを込めて「いつもありがとう」と感謝の思いを言葉にして伝えてみましょう。

61

赤い竜（イーミッシュ）
赤い空歩く人
音9

周りを見渡しながら、体を動かし汗を流してみましょう。
実際に歩いたりジョギングしてみましょう。

今日は汗が出るくらいの運動をしてみましょう。最も簡単にできる運動は「歩くこと」です。
歩く時は、周りの景色を見ながら「どこにどんな建物がある」「いつもきれいな花が咲いている」「いつもはこんな景色なのに今日は変わっている」という具合に、周りを意識して歩いてください。見たことで印象に残った物や周りの景色を書いておきましょう。
もちろん、ジョギングなどでもけっこうです。実際に汗が出るくらい動いてみて、疲れた、気持ち良かったなど、感じたこともメモしておいて下さいね。

KIN 62

  白い風（イーク）
赤い空歩く人
音10

普段使用している電化製品をきれいにしてみましょう。
ふと気になったことを表現してみましょう。

今日は、普段使っているパソコン、スマートフォン、電気機器、テレビなどをきれいにしてみましょう。液晶画面は、拭くとけっこうほこりがついていたり、皮脂で汚れています。
毎日のように何気なく使っている物にたまっている汚れを、取り除いておきましょう。
今日、「音10」の日は、日頃の積み重ねが目に見える形として表れるエネルギーが流れています。小さなことでも気になったことがあったら人に話す、または書いておきましょう。今日の出来事をメモしておくと、気づきのポイントが得られます。

KIN 63

  青い夜（アクバル）
赤い空歩く人
音11

気分転換や発散することをして過ごしましょう。
映画や演劇、舞台鑑賞をしてみましょう。

時間を見つけて、気分転換や鑑賞をすることをしてみましょう。
例えば気分転換で外出される時は、できるだけ自然の多い公園や山などへ行きましょう。自然の中の樹齢何十年、何百年という木が立ち並ぶ場所は、人のエネルギーもリセットしてくれることでしょう。
映画などを鑑賞される時は、できるだけ泣ける映画作品を鑑賞しましょう。涙を流した経験がある方はご存知のように、泣くとストレス発散や癒し効果がありますので、心のバランスを整えることに欠かせません。涙は体内の不要物を外に出してくれます。ためると流れが滞り、良いアイデアが浮かぶことを遠ざけます。ぜひ、試してみて下さいね。

黄色い種（カン）
赤い空歩く人
音 12

普段使用しているメイク用品をきれいにしてみましょう。
メイク用品について人と話す時間を持ってみましょう。

今日は普段使用しているメイク用品をきれいに整頓してみましょう。パレット類はケースの縁に粉がたまっていたりします。きれいに拭きましょう。パフやスポンジ、刷毛などもきれいに洗ってみましょう。
きれいにする時は、1つひとつの道具に「いつもありがとう」と声をかけることもしてみて下さいね。
また、メイク用品も多数あり、どれを使うといいのか迷ったりしませんか？　今日は人と共有することで問題が解決するエネルギーが流れています。ぜひ、友人やメイクが上手な人に相談してみましょう。自分に必要な物、不要な物が見えてくるかもしれません。

 赤い蛇（チークチャン）
赤い空歩く人
音 13

家周り、玄関、車などをきれいにする時間を持ってみましょう。
どんな小さなことでも地道にやり遂げましょう。

家周りをどこか1か所でもきれいにしてみましょう。最も簡単なのは玄関です。靴を履く・脱ぐ場所をきれいに拭きましょう。
玄関はエネルギーの出入りの空間なので、常にきれいにしていると良いエネルギーが家の中に入ってきます。
今日は「白」の13日目です。この13日間を振り返り、やり残したことがあればそれをしましょう。そしてメモしたことをまとめてみましょう。まとめたことと向き合い、どんなことを実際にやり、捨てたのか？　どこを整えきれいにしたのか？　明日から始まる本格的なそぎ落としに備えましょう。手放しが苦手な方も大丈夫です！　明日からやろう！　と決める、それだけでも十分です。

あなたの不調と向き合う期間

KIN 66 ～ KIN 78

不安を手放し新しい自分を再生しよう

これからの 13 日間は「善し悪しを振り分ける」期間の中で、特に、先祖を含めて人とのコミュニケーションを通して不安を手放していく期間です。新しい自分が再生されるという意識を持って過ごしていきましょう。

KIN

白い世界の橋渡し（キーミー）
白い世界の橋渡し
音 1

様々な立場や考えに目を向けましょう。
先祖に思いをはせてお墓参りに良い日です。

今日は自分の先祖のお墓参りに行きましょう。行けない方も、先祖のお墓がある方向を向いて手を合わせたり、仏壇や遺影に花を供えたりして下さい。今の自分が在るのは、親や先祖のお陰であることに感謝の気持ちを伝え、日頃の出来事を伝えましょう。
また、人の立場になって考えることを意識しましょう。親の立場、子の立場、友人の立場、上司の立場、部下の立場など、できる範囲で目を向けてみましょう。
そして今日は「音 1」の日です。これからの 13 日の目標を立てたり、宣言をしましょう。そしてそれをメモしましょう。FB グループに入っている方は書き込んでみて下さいね。

KIN 67

青い手（マニーク）
白い世界の橋渡し
音2

献身的に誰かの役に立つことに取り組みましょう。
自分を癒すことをしてみましょう。

自分ができることで人の役に立つことをしてみましょう。[青い手]の日なので、特に手を使うことをオススメします。
例えば誰かのために料理やお菓子を作る、手作りの物をプレゼントする、手を使ってマッサージやエステをする、またはエステの施術を受けるなどしましょう。
また、普段よく動いている方は休ませる、あまり動いていない方は、何か手伝う、サポートする、席や順番を譲る、背筋を伸ばして座るなど、実際に実践してみて下さいね。
いつもより手をかけて料理を作る、準備することを意識して過ごしてみましょう。

KIN 68

黄色い星（ラマト）
白い世界の橋渡し
音3

目的を持って行動してみましょう。
魅力的な人、憧れの人と交流しましょう。

今日は、日頃中途半端になっていることをやってみましょう。今何か上手くいかない場合は、そのことにどんな目的があるのか？　自分に問いかけてみましょう。例えば単に「10 キロやせる」という目標より、「来年の○○コンテストに出場するために 10 キロやせる」という目標の方が、行動に移しやすくなります。
また、好きな人や憧れの人に会ってみましょう。実際会えない場合も、その人の写真や動画など、身近に感じ触れ合える機会を作ってみて下さい。魅力的な人は、何か人を引き付けるものがある、それはどんなところなのか？　考えて書き出してみましょう。目的を持って行動することを意識してみて下さいね。

KIN 69

赤い月（ムールク）
白い世界の橋渡し
音4

自分自身を浄化し、向上心や好奇心について向き合ってみましょう。今日はエネルギーが濃く強い日です。

今日は自分に必要ないものを手放す日です。実際に物を捨てる、掃除をする、断捨離をしてみましょう。
そして、自分の向上心や好奇心に興味を持ってみましょう。どんなことに普段興味を持ち、調べたり、会話したり、熱心に向き合っているでしょうか？　自分が時間を多く使っている分野をチェックしてみましょう。
また、水に触れるとシンクロ（P.19 参照）する日です。ゆっくり入浴する、またクアハウスなどでサウナや岩盤浴を体験する、プールで泳ぐなどがオススメです。自分自身の体も心もほぐしてあげましょう。
自宅で入浴する時は、塩を入れて入ることもオススメです。

KIN 70

白い犬（オク）
白い世界の橋渡し
音5

家族のためにできることをしてみましょう。
楽しむことや笑顔になることを意識して過ごしましょう。

家族のために自分ができることを何か1つしてみましょう。
家族が過ごす部屋をきれいにする、家族の靴を磨く、洗濯をする、食事を作る、離れて過ごす方は電話やメールで連絡をするなどしてみましょう。
また自分が楽しめることをして過ごすことも意識しましょう。仕事や家事、何をしていても、そのことをいかに楽しんでやっているか、意識してみて下さいね。
「音5」の日は「自分の中心（心）を定める」エネルギーが流れています。音1の日（KIN66）に立てた目標は、何だったでしょうか。改めて再設定をしてみましょう。今日の出来事を FB グループに入っている方は皆さんに共有してみて下さいね。

71

青い猿（チューエン）
白い世界の橋渡し
音6

神社、仏閣、教会に出かけましょう。
人との交流の中で自分のアイデアを分かち合いましょう。

今日は近くの神社、好きな神社がある方は行ってみましょう。[青い猿]
の日は神社仏閣などの宗教的施設に行くと精神性が高まりやすくなり、心
で抱える不安や不満を手放すことの手助けになります。家族や友人と一緒
に行くのもいいですね。
また、人との交流を通して楽しむ時間を持ちましょう。
例えば最近会ってない友人を誘って食事に行く、電話して話をする、これ
まで行ったことのないコミュニティに参加してみるなどしてみて下さいね。
自分とは全く正反対の人との交流から、思わぬステキなアイデアをいただ
けるかもしれませんよ。

72

黄色い人（エブ）
白い世界の橋渡し
音7

自分の気持ちや思いを伝えましょう。
こだわりを実際に行動に移してみましょう。

趣味や興味のあることを徹底的に探求してみましょう。最近ハマってい
る動画やドラマ、本などを徹底的に読み込んでみましょう。これだけは
譲れない、ということをすると自分の本来望む姿を思い出すヒントが得
られるエネルギーが流れています。
また、例えば自分の性格や特徴は粘り強い性格、想像力がある、明るい
など、気づいたことは書き留めておくこともヒントになります。
1日で何かが変わる場合もあれば、何も変わらない場合もあります。人
は1日1日、1年1年積み重ねて成長しています。塵も積もれば山とな
ります。無理なく積み重ねられることをしていきましょう。

赤い空歩く人（ベン）
白い世界の橋渡し
音8

年配の人、先人の話に耳を傾けましょう。
新しいことに挑戦してみましょう。

年配の人の意見や話を聞いて、新しく挑戦することを探ってみましょう。
実際に年配の人と会って話を聞く、セミナーに参加してみる、本や雑誌を
読んでみる、ネットで拝見するなどしてみましょう。そこから自分が新し
く挑戦できることが見つかるかもしれません。気になったことはメモして
おきましょう。
大切なことは、自分で勝手に限界を決めたり、思い込みをして、自分には
無理だなぁと決めつけないことです。なぜ無理だなぁと思ったのか？　自
分ならどんな風に挑戦できるのか？　それを書いておきましょう。
FBグループに入っている方は、他の方の投稿を参考にして自分に置き換
えて考えることをしてみて下さいね。

白い魔法使い（イーシュ）
白い世界の橋渡し
音9

人と喜びを分かち合いましょう。
人の話に耳を傾けてみましょう。

今日は人と喜びを一緒に味わう時間を持ってみましょう。
最も簡単にできることは食事です。家族で外食して楽しい時間を過ごす、
友人と一緒に美味しいものを食べに行くなどして、人と喜びを分かち合
う時間を過ごしましょう。
人との会話の中では特に話を聞く姿勢を意識してみて下さい。疲れがた
まっている時は不満が多かったり、逆に前向きな話題が多い時はイキイ
キとしていますね。相手の言動や態度、状況から気になったこと、気づ
いたことをメモしておきましょう。また、夜寝る時は自分が落ち着く、
または好きな香りを嗅いで眠りにつきましょう。

KIN 75

青い鷲（メン）
白い世界の橋渡し
音10

ストレスをためすぎていないか、自分に目を向けてみましょう。
人や物の見方を意識してみましょう。

物や人に対する見方に偏りがないか、自分の心を意識して過ごしてみましょう。人に対して嫌な部分ばかりに気がついていないか確認してみて下さいね。嫌な部分も反対の見方に変えてみましょう。
例えば「優柔不断な人」→「柔軟性がある人」「のろまな人」→「慎重な人」という風に置き換えてみましょう。
また、ストレスの多くは外から（人や環境）の圧力によると言われています。体調の悪さはそのせいかもしれません。以下のようなことはありますか？「気分の落ち込み、意欲の低下、体のある部分の痛み、腰痛、肩こり、胃痛、動悸や息切れ、不眠、便秘、暴飲暴食、喫煙、物忘れ、ちょいミス」以上が3つ以上あるとストレスがたまっている症状と思われます。

KIN 76

黄色い戦士（キープ）
白い世界の橋渡し
音11

今日はエネルギーの発散をしましょう。
疑問や問題を文字にしてみましょう。

今日は日常のささいな疑問や問題を意識してみましょう。
例えば、朝はいつも憂鬱な気分なのはなぜか？　ため息ばかり出るのはなぜか？　考えて文字にしてみましょう。憂鬱なのは睡眠が不足しているからかもしれないし、悩みがありすぎるからかもしれません。文字にすると、その問題が解消することに繋がります。
また、エネルギーを発散するために歌を歌ってみましょう。歌の歌詞に乗せて自分の感情を吐き出すと、発散させることができます。
スッキリ発散したあとは、好きな物をお腹いっぱい食べて食欲を満たしましょう。

KIN 77

赤い地球（カバン）
白い世界の橋渡し
音 12

趣味や習い事など、共通の目的を持った人達との交流を深めましょう。エネルギーが濃く強い日です。

今日は同じ目的を持つ仲間やグループの中で協調性を発揮しましょう。同調してくれる人と過ごす、語り合う、体験を共有するなどして、交流を深めることをオススメします。

自分の未来のビジョンを持つと、どんな人と交流したいのかが見えてきます。例えば私の場合は「マヤ暦という宇宙の流れや自然のリズムを分かり易く伝えることで、心力をつけて自分本来の望む姿を思い出し、心から健康な人を増やす」ことがビジョンです。

そのビジョンに共感した、共有したいと思って下さる方々が実際に日々実践して下さっています。

KIN 78

白い鏡（エツナブ）
白い世界の橋渡し
音 13

ユーモアを忘れず、寛容になることを意識してみましょう。
人を通して自分なりの楽しみを見出しましょう。

[白い鏡] の日は、「映し出す」エネルギーが流れています。自分の目の前にいる人、表れる出来事はすべて自分の心の反映と受け止めましょう。今日は自分がワクワクすることをして過ごしましょう。

例えば「家族は自分の好きなことをしているけど、私は家事を全部やって自分の時間がない……」と思っていたとします。自分の時間は作り出そうと思えば作り出せます。無駄な時間はないか、探せばきっとあります。時間を見つけ、自分の好きなことをする時間を持っていると、家族が好きなことをしていても、自分もしているので、気にならなくなります。

今日は 13 日の区切りの日です。この 13 日間を振り返り、メモしたことをまとめて、やり残したことがある方はやってみましょう。

あなたの不調と向き合う期間

KIN 79 〜 KIN 91

善し悪しを見極めて
必要ないものを手放そう

この13日間は「善し悪しを振り分ける」期間です。特に日常の行動、食事やお金の使い方、日々入ってくる情報などから実際に必要ないものを捨てる、手放すことをして過ごしましょう。

KIN 79

  青い嵐（カウアク）
青い嵐
音1

瞬間、瞬間を大切に動き回りましょう。
嵐のようなパワー溢れるエネルギーをただ感じてみましょう。

今日は今一瞬の中にすべてがあると思って過ごしてみましょう。「今」に集中して、今できることをして過ごしましょう。これを少しずつでも積み重ねていくと不調はどんどん軽減されていきます。
なぜなら「今ベストを尽くして生きている」からです。これは、あの時こうしておけば良かったということが減り、後悔することも減っていくからです。
やらなければならないこともたくさんあると思います。そんな中でも嫌々ではなく、できるだけ楽しみながらやることを意識してみましょう。
そして「音1」の日ですので、これからの13日の自分の目標を書いておきましょう。FBグループに入っている方は目標を宣言してみましょう。

KIN 80

  黄色い太陽（アハウ）
青い嵐
音2

好き嫌いをハッキリさせましょう。
思いきり動き回るか、リラックスするか決めてみましょう。

自分の部屋にある物で好きでない物を捨てましょう。物にも人と同じようにエネルギーがあります。好きでない物を部屋に置いているとエネルギーが滞り、不満や不安を手放すことの妨げになります。できる範囲で好き嫌いを決めて、要らない物は捨てましょう。
捨てる物がない方は家具の配置換えや部屋の模様替えなどをして気分転換をしてみましょう。
また動き回る、もしくはできる限り体を休めるか、どちらか望むことをしましょう。仕事の前後に運動をして終日動き回る、またはできるだけ体に負荷を与えることをしない、など。また、[黄色い太陽] の日は、午前中に 15 分日光浴をして体を休めましょう。

KIN 81

  赤い竜（イーミッシュ）
青い嵐
音3

いつも行かない場所へ足を運んでみましょう。
日頃お世話になっている人に御馳走してみましょう。

今日はいつも入らないお店や場所に行ってみましょう。買い物で使うお店を変えてみる、ランチはいつも利用しないお店で食べるなどをしてみましょう。
いつもと違う場所へ買い物に行くと、意外とこのお店にも好きな物が売っていることが分かったり、探していた物があったり、友人が好きな物に出合えたりします。また、嫌いかなぁと思って行かないでいたお店も、食べてみると意外と美味しいメニューがあることが分かったりするかもしれません。
また人に御馳走する時は、仕方なくとか損したと思わないように意識してみて下さいね。

82
KIN

白い風（イーク）
青い嵐
音4

芸術を通して自分のネガティブな感情を手放しましょう。
言葉にこだわってみましょう。

芸術に触れることをしてみましょう。例えば好きな歌の歌詞を口ずさんで
みましょう。好きな歌詞を声に出すことで、ネガティブな感情を手放すこ
とができます。声に出す時は、その言葉を自分から手放すことを意識して
みましょう。
私たちも毎日呼吸をするように、エネルギーは循環しています。吐き出す
と、また新しいものが入っていきます。日頃ため込んでいるネガティブな
感情を吐き出すことをしてみて下さいね。
また創作が好きな方は自分で歌詞を作ってみる、芸術（絵画や陶芸制作な
ど）を実際に体験してみる、などしてみましょう。

83
KIN

青い夜（アクバル）
青い嵐
音5

忘れ物がないか、無駄使いをしていないか、確認しましょう。
客観的視点を意識しましょう。

出かける時に持ち物で忘れ物がないか再度確認して出かけましょう。他
にも、日常で頼まれていたことを忘れていないか、仕事でうっかりミス
がないかなど、意識してみて下さいね。
また日頃買わなくてもいい物をつい買ってしまったりしていないか、お
金を払う時に、本当にこれは今買う必要があるのか、意識してみましょう。
普段自分がよく忘れることや、無駄使いに気づいた方は、こんな時によ
く忘れる、こんな時につい無駄使いをしているなど、忘れないようにメ
モしておきましょう。[青い夜][青い嵐]の日は「客観的視点」が流れ
を変える日です。親や子など、自分以外の人の視点で見ることを意識す
ると、手放すことに気づくエネルギーへと流れが変わることでしょう。

KIN 84

黄色い種（カン）
青い嵐
音6

読書をして、人にその内容をシェアしてみましょう。
人に役立つ情報を伝えましょう。

今日は目に付いた本を1冊読んで、その感想を人に話す、もしくは既に
知っていることで人の役に立つ情報を話してみましょう。
人に話す時は、その人が喜んでいるか？　興味津々で聞いてくれている
か？　反応を意識して話してみて下さいね。その時の反応があいづちやう
なずきだけの場合は、お愛想かもしれません。人が本当に興味を示す時は、
その内容に対して何かしらの質問があります。
例えば「○○のお店は美味しいよ」に対して「そうなんだ」という返事は
愛想です。興味があれば「どんなメニューがオススメ？」「価格はどのく
らい？」「ランチとディナーいつ行ったの？」など、知りたいことがある
はずです。ぜひ、意識して話してみて下さいね。

KIN 85

赤い蛇（チークチャン）
青い嵐
音7

自分の好きなことは何か、トコトン自分の気持ちにこだわって
みましょう。否定的な言葉を使わないように意識しましょう。

今日は自分の心と体に向き合い、自分の好きなことで自分を満たしてみ
ましょう。好きな物で自分を満たすと不満や不安はどんどん軽減してい
きます。なぜなら好きな物で満たしている時は、良い心地を感じている
ので不満も不安も感じないからです。
また黒●KINと「音7」が重なる日は特に宇宙のエネルギーと繋がる日
です。自分が使う言葉も気をつけましょう。「自分には無理」「自分には
できない」「しんどい」などという言葉を使うと、それが宇宙に通じます。
何事も順調に進んでいる、思ったようになっている、好きなことが明確
になっているなど、明るくなる言葉を意識して、過ごしてみましょう。

KIN 86

白い世界の橋渡し（キーミー）
青い嵐
音8

周りの人や季節の変化に気を配ってみましょう。
人との交流を通して手放すヒントを見つけましょう。

家族や友人、職場の人の、あなたに対する態度や接し方の変化を見つけて
みましょう。例えば最近優しい言葉をかけてくれるようになった、あまり
文句を言わなくなったなど、人との会話や接することで気づいたことがあ
ればメモしてみて下さいね。
また季節の変化も感じてみましょう。暑いのか寒いのかちょうど良いか、
今の旬の野菜は？　どんな花が咲いているのか？
できれば、近場で自然の景色がある所に行ってみましょう。今日の自然の
景色を書き止めておきましょう。FBグループに入っている方は投稿して
皆さんと共有して下さいね。

KIN 87

青い手（マニーク）
青い嵐
音9

手作りの物で人をもてなしてみましょう。
目の前の人のためにできることを精一杯やってみましょう。

今日は[青い手]の「器用」と[青い嵐]の「釜戸の神」のエネルギーが
重なる日なので、自分で手料理を作る、または楽しく食事をすることが
オススメです。
料理を手作りする時は、食材や調味料にこだわり、食べる人が喜ぶ顔を
イメージして、手間暇かけることを意識して作ってみましょう。
また作る時間がない方は、食材や調味料にこだわって料理を提供してい
る自然食レストランで友人や家族と食事を楽しんでみましょう。
「音9」の日はワクワクする新しいものに触れるとシンクロ（P.19参照）
する日です。できれば行ったことがない場所やお店に行ってみて下さいね。

KIN 88

 黄色い星（ラマト）
青い嵐
音10

見た目、姿形をきれいにしてみましょう。
芸術鑑賞を通して自分の手放すべきものに気づきましょう。

芸術に触れる、または自分の姿形（洋服、靴、バッグ、メイク、ヘアー、
アクセサリー）を徹底的にきれいにしてみましょう。
［黄色い星］には「美」のエネルギーが流れています。美しい姿、振る舞
い、美しい物に触れる、感じることをして過ごしてみましょう。
芸術鑑賞をされる時はただ鑑賞するだけでなく、その作品から自分は何を
感じ、どんなことを想像したのか、そしてどの作品のどんな所に惹かれた
のかをじっくり感じてみましょう。
「音10」の日は見えないものを見える形にするエネルギーが流れています。
姿形をきれいにした方は、ぜひ「私の美」と題して、写真を撮っておいて
下さいね。

KIN 89

 赤い月（ムールク）
青い嵐
音11

体調を整えることをしてみましょう。
無理せず、時の流れに合わせることをしてみましょう。

今日は体調を整えることを意識して取り入れてみましょう。
入浴時に今日無事に過ごせた感謝の言葉を言いましょう。
また、自然のたくさんある環境で過ごすと「気」の流れが変わることが、
ハーバード医科大学の研究でも明らかになっています。自然の中で過ご
してみましょう。これを続けていくと自然と体の不調が少しずつ取れて
いきます。無理をせず、今できる浄化法をして必要ないものを手放して
みましょう。
入浴時に感謝の言葉を言う時、自然のたくさんある環境に行かれる時は、
深呼吸も合わせてやると効果的です。ぜひ、試して下さいね。

KIN 90

   白い犬（オク）
青い嵐
音12

家族の絆について考えてみましょう。
家族のために尽くすことをしてみましょう。

今日は家族のためになることをしてみましょう。例えば話を聞く、相手の
態度や様子に気を配り気遣う言葉をかけてみる、家族が目につく玄関に花
を飾るなどをしてみましょう。
今日 [白い犬] の日は、「誠実、忠実、家族愛」のエネルギーが流れてい
ます。接する人とはできるだけ家族と同じように親しみを持って接するこ
とを意識してみて下さいね。
また「音 12」の日は共有することで誤解が解ける日でもあります。言わ
なくても分かるだろうという態度ではなく、細かな部分にも気を配り、意
思疎通を心がけてみて下さいね。

KIN 91

  青い猿（チューエン）
青い嵐
音13

何事も自分に必要なことだ思ってみましょう。
楽しむことをして過ごしましょう。

自分に起こることはすべて必要なことだと受け入れてみましょう。どん
な状況にあってもいかにその中で楽しみを持って過ごせるかを意識して
みて下さい。[青い猿] は「ユーモア、遊び心」のエネルギーが流れて
います。1 日の予定を立てて、ランチの時間は思いっきり楽しむ、終業
後や家事の空き時間には、自分の好きなことをする時間を堪能するなど、
メリハリをつけましょう。
今日で青い嵐の 13 日間が終わります。いかがでしたか？　人によっては
嵐のように慌ただしい日が続いた方もいるかもしれません。今日はこの
13 日間にメモしたことを振り返りつつ、やり残したことをする、または
楽しむことをして過ごしてみましょう。FB グループに入っている方はぜ
ひこの 13 日間の気づきや手放したことをシェアして下さいね。

あなたの不調と向き合う期間

KIN 92 ～ KIN 104

自分自身の根を張り、
不安を受け入れよう

この13日間は「善し悪しを振り分ける」期間の最後の13日
間です。不満や不安を手放し、ありのままの自分を受け入れ
ることを意識して過ごしましょう。
特にKIN53 ～ KIN91までに実際行動したことやできなかった
ことを振り返り、自分の根を張ること、人として周りの状況
を見ながら自分のできることを意識してみましょう。

KIN 92

黄色い人（エブ）
黄色い人
音1

1人の人を理解する姿勢を持ってみましょう。すべてにおいて
理解するとはどういうことなのか？　を考えてみましょう。

人に対して理解する姿勢を意識してみましょう。例えば「あの人はなぜ
いつもあんな態度なんだろうか？」「なぜいつもこんなことを言うんだろ
う？」「最近いつもと様子や態度が違うなぁ」などと気づくと思います。
そんな時、家族の立場、上司や部下の立場、友人の立場、ペットの立場
など、相手の立場に立って物事を見る姿勢を意識してみましょう。
いつも態度が悪い人は、プライベートで何か悩みがあるのかもしれませ
ん。またいつも悪口を言う人は、「他に言える場がないのかな」という
具合に理解する姿勢を持ってみましょう。理解する姿勢を持っていくと、
視野が広がり人の嫌な部分も見方が変わります。
今日は、これからの13日間の目標を書いておきましょう。

KIN 93

赤い空歩く人（ベン）
黄色い人
音2

現状を見つめ、今できることで人に対して誠意を示す努力を
してみましょう。誠実な対応を心がけましょう。

［赤い空歩く人］、［黄色い人］と、「人」が重なる日は今日だけです。人
に対して誠意を示すことをしてみましょう。特に人の話はゆっくり、じっ
くり聞くことを意識してみて下さいね。
例えば同じ話を聞いても、自分はすぐに理解できても他の人は同じように
理解しているかは分かりません。自分は分かっていることは人も分かって
いるだろうという姿勢ではなく、人の話をよく聞いて、確認しながら進め
ることをしてみましょう。
今日は、細かな連絡を怠らないことや、「ありがとうございます」などの
気持ちを表すことを意識して、人に誠意を示すように心がけて過ごしてみ
て下さいね。

KIN 94

白い魔法使い（イーシュ）
黄色い人
音3

柔軟に対応することを意識してみましょう。
勝手な思い込みを手放しましょう。

何事においても受け入れることを意識してみましょう。昨日、一昨日と
人に対して理解する姿勢を意識された方も多いと思いますが、引き続き、
理解する姿勢を持って柔軟に対応してみて下さいね。
例えば自分の勝手な判断で「こうだから、これだな」「ああ言うならこれ
は違うな」という具合に決めつけていることはありませんか？　勝手な
思い込みをやめる、柔軟に理解する姿勢を持つと、人との付き合いも少
しずつスムーズに運んでいきます。
時の流れに乗るためには柔軟になることです。人の体も触ると柔らかい
ですよね？　心も同様に柔らかく、を意識してみましょう。固くなり過
ぎないように柔軟に受け入れることを意識して過ごしてみて下さいね。

KIN
★◆

青い鷲（メン）
黄色い人
音4

人の話に耳を傾け、失敗を恐れず、責任を持って行動しましょう。絶対拡張と極性が重なるエネルギーが濃く強い日です。

[青い鷲] の日は、先を見て目標を立てるとシンクロ（P.19 参照）です。しかも絶対拡張と、極性が重なる日は今日だけです。今日は自分の心に夢や目標を宣言し、恐れず行動してみましょう。今日宣言したことは絶対拡張しますので、目標を人に話す、FB グループに入っている方は書き込みを。目標が定まってない方は人の話からヒントをいただけるかもしれません。くれぐれも人と比較して自分にはできない、と思わず、自分には夢や目標を実現する為の知識や情報が少し不足しているだけととらえてみて下さいね。また失敗を恐れ行動していないことはないですか？　自分の心と体に問いかけてみましょう。何か１つでも自分で今日はこれをやる！と決めて行動してみましょう。

KIN
●

黄色い戦士（キーブ）
黄色い人
音5

再挑戦しましょう。中途半端だったことをやり直しましょう。部屋を整理整頓してみましょう。

今日は中途半端になっていることや、やりかけのことをしてみましょう。これまでに部屋の片づけ、不要な物を捨てる、人を理解する姿勢、芸術鑑賞や自然散策、そして手を使って実際に何か作るなど、日々様々な流れがありました。振り返ってみて、どこか中途半端だったこと、思っただけでできなかったことなど、なかったでしょうか。気になることがあったら、何か１つでいいのでやってみましょう。
今日は黒●キンと「音5」が重なる日で、決めたことはその通り運ぶエネルギーが流れています。何をしようか思いつかない場合は部屋の掃除、片付けをしてみましょう。

赤い地球（カバン）
黄色い人
音6

人と感動を共有してみましょう。
的を絞って行動することを意識してみましょう。

今日は人と話すことで感動を共に味わう体験をしましょう。または感動することをして過ごしてみましょう。
自分がどんな時に感動を味わっていると思いますか？　好きな人と一緒の時、好きな音楽を聴いている時、人から感謝される時など、感動することは人により様々あります。自分が何をしている時が感動するのか？　自分に問いかけてみましょう。
そして自分が感動することを何か1つに的を絞って過ごしてみましょう。実際どんなことで感動したかなど、人に話してみて下さいね。FBグループに入っている方はぜひシェアしてみましょう。

白い鏡（エツナブ）
黄色い人
音7

自分に嘘をつかないことを意識しましょう。
内面を見つめる時間を持ちましょう。

今日は自分と向き合う時間を持ってみましょう。[白い鏡]には「映し出す」、「切り捨てる」エネルギーが流れています。今の現実は自分の心の反映です。周りの友人、よく付き合う仲間、よく使う道具、よく行く場所、仕事など、それはあなた自身が望んでいることでしょうか？　きちんと向き合ってみましょう。
また、人の期待に応えようと自分の望みを打ち消していることはないでしょうか。無理して付き合っていることはないでしょうか？　もしあれば、それは切り捨てましょう。「音7」の日は宇宙のエネルギーと繋がりやすく、人や物、環境や状況のすべてと繋がりやすい日です。このエネルギーを借りて何か1つでも切り捨てる、手放す、見つめることをしてみましょう。

KIN **99**

青い嵐（カウアク）
黄色い人
音8

遠出してみましょう。また旅行の計画を立ててみましょう。
人に寄り添う姿勢を意識してみましょう。

日帰りで行ける、歴史を感じる土地へ行ってみましょう。または、憧れ
ている海外の土地へ行く計画を立ててみて下さい。1人旅でもいいですし、
家族や友人との旅など、一緒に相談しながら計画を立ててもいいですね。
また、人と会う時は距離感を意識して接してみて下さい。距離感や間の取
り方が上手いと人間関係はスムーズにいきます。言うのは簡単、行うのは
難しい…。まずは、寄り添うことを意識することから始めましょう。
距離感を意識するには、例えばついつい人を構い過ぎる方は、それをやめて
みたり、相手に自分の意志を押し付けたりしないように気をつける、な
どを意識してみるといいでしょう。

KIN **100**

黄色い太陽（アハウ）
黄色い人
音9

許容範囲を広げてみましょう。
純粋にワクワクすること、感謝の気持ちを意識してみましょう。

今日は[黄色い太陽]の「無条件の愛」のエネルギーが流れています。自
分の価値観で愛に勝手に条件をつけていないか、確認してみましょう。
例えば「人はこうしてもらったらこうするべき」という決めつけた考え
は無条件の愛に反します。自分がしてあげたいこと、楽しいだろうなぁ、
喜ぶだろうなぁ、ということをしてみましょう。これらは純粋にワクワ
クする楽しいことをしているので、そこにはお返しを期待する気持ちは
ありません。また感謝の気持ちをいつも以上に持つことを意識してみま
しょう。感謝の気持ちを持つと免疫力が上がったり、人間関係が改善する、
幸福度が25％アップする、などと言われています。感謝の気持ちが増え
ていくと不調はどんどん軽減していきますよ。

KIN IOI

赤い竜（イーミッシュ）
黄色い人
音 10

現実と自分の望みのギャップを感じたら、その差を埋めてみましょう。受け身の態勢を意識してみましょう。

今日は自分の望みと現実（現状）の差を埋めることをしてみましょう。
例えば「転職をしたい」けれど実際は転職できない事情があるとします。
その場合「転職してもいいし、転職できなくてもいい」と思ってみるのです。動かしがたい事情がある場合は、まずそれを受け入れることが不満を解消する近道です。このように考え方を現実に合わせていくと、ほとんどの不調は解消されていきます。
「○○したいけど、できない」「○○だったらいいのに、そうならない」などの不満も同じように受け止めることで、その不満は軽減していきます。
今日はすべてにおいて受け入れる体制がシンクロ（P.19 参照）です。急がず焦らず一旦受け入れることを意識して過ごしてみて下さいね。

KIN IO2

白い風（イーク）
黄色い人
音 11

最近自分が感動したことを人に伝えてみましょう。
発散する、開き直ることを意識してみましょう。

自分が感動した体験を人に話してみましょう。例えば映画を見てこんな場面に感動した、ニュースでこんな話に感動した、美味しい食事に感動したなど、誰かに伝えてみましょう。
また、感動することをするとストレス発散になります。ほかにも歌を歌う、本を読む、ドライブに出かける、友人と会う、思いっきり寝るなど、自分はこれをするとストレス発散になる、ということで発散してみて下さいね。
FB グループに入っている方はぜひ、自分のストレス発散法を書き込んでみましょう。また、他の方のストレス発散法も参考にしてみるのもいいですよ。

KIN 103

  青い夜（アクバル）
黄色い人
音 12

夢や目標の実現のため、イメージしてみましょう。人の話に真剣に耳を傾け、人と共有することを意識してみましょう。

今日は自分の夢を実現するために今やることはどんなことなのか？　文字や絵に表してみましょう。

また夢が明確にない方は、今自分が興味のあることに熱中してみましょう。私自身、文章を書くことが好きで、それを読んだ人が自分と向き合い、自分の本当に望むことを明確する人が増えることを想像しながら、ブログを書いていたら、共感して下さる方や「実際ブログを読んでそうなりました」というお声を多数頂き、次は本を出版することになりました。

夢や目標を見つけるために助けになる方法があります。思いついた言葉や好きなことを連想式に書き留めていくことです。例えば「海」→「青」→「知性」→「信頼」など。連想から気付きを得られることがあります。

KIN 104

  黄色い種（カン）
黄色い人
音 13

整理整頓することに没頭してみましょう。
自分がコントロールできないことは手放しましょう。

没頭することで自分なりの発見ができる日です。今日で白の 52 日間、[黄色い人] の 13 日間が終わります。KIN53 から昨日までで、またはこの 13 日間で自分がやり残したことをしてみて下さいね。

この期間は自分の不調と向き合う流れがあり、自分に対して、人や周りの環境や状況に対しても忍耐を感じることが多かったかもしれません。

自分の心や体、そして人に対して影響を与えることはできても、天気や未来をコントロールすることはできません。共通点や共感することはあっても 100 人いれば 100 通りの接し方、行動や言動、とらえ方があります。自分は普段どんな態度で人と接しているのか、何を基点に行動しているのか、どんな人と接していたいのかなど、明確にしてみて下さいね。

発表し、分かち合うことの効果を最大限に活かすために

　マヤ暦のメッセージをお読みになり、実際に行動すると、さまざまな気づきがあると思います。また、自分自身に問いかけて気づいたこと、決めたことなど、書き留めておくのも良いですが、人に話す、宣言する、共有すると、ますます良い流れに繋がっていきます。発表し、共有するための方法として、FB グループをご活用ください。「必ずチェックして欲しい4つの本書の読み方（P.14）」でも書いていますが、本書を購入した方のみ、無料で参加できる FB グループがあります。件名に「FB グループ参加希望」と書いて、本書の表紙とレシートを写真にとる、また、購入履歴のスキャンを添付の上、FB アカウントの名前を書いて下記までメールをお送りください。emeral75@yahoo.co.jp

　内容に不備がある場合は返信できませんので、予めご了承下さいませ。FB グループでは、同じ目的を持った方がいらっしゃいます。1人では難しいことも、他の方の投稿を参考にしたり励まし合うことで、自分本来の姿を思い出すきっかけに繋がることが多々あります。任意ではありますが、ぜひこの機会に参加して、発表し、分かち合うことの効果を体験してくださいね。

FBグループは非公開で、グループ内でのみ発表する場です。安心してご参加いただけます。

† MEMO †

KIN 105

〜

KIN 156

青

── あなたの不調を改善させていく52日 ──

KIN105 〜 KIN156の期間は、起承転結の「転」、変化・変動の期間です。
停滞や形骸化を防ぐために変化が不可欠になる 52 日間です。この 52
日間は連続して黒● KIN の日が 10 日間続く期間が 2 回あります。思っ
たことや行動したことが現実になりやすい期間で、心の状態が現実に反
映することがどんどん起こります。変わることを恐れず、自分の心（魂）
からの成長のための変化ととらえてみましょう。

カレンダー内のマークの見方
● 印がある日＝「黒 KIN」と呼ばれる日。とても強いエネルギーが流れる日。
★ 印がある日＝「絶対拡張の刻印日」と呼ばれる日。この日は「物事が拡がる日」。
◆ 印がある日＝「極性 KIN」と呼ばれる日。1 つの事を極めると良い日。
※詳しくは P.12「本書の読み方」を参照してください。

あなたの不調を改善させていく期間

KIN105 〜 KIN117

不安、不満を悪いととらえず
感じてみよう

KIN105 〜 KIN117 の 13 日間は、特に自分が日常当たり前にしている行動、言葉、思考パターンについて、あらためて意識してみましょう。
思ったこと、行動したことが、そのまま現実になりやすい期間です。

KIN 105

赤い蛇（チークチャン）
赤い蛇
音1

熱中できること、情熱を注げる状況や環境を意識しましょう。
積極的に行動してみましょう。

1 日にしたことを細かく書いてみましょう。心理学の研究によると人は 1 日に約 6 万回も考え事をしているそうです。今日何をしよう、仕事でこれをしなければ、何を食べよう、など、無意識に考えています。またそのうちの 8 割はネガティブな内容を考えているという結果もあります。
例えば朝電車の中でしていた行動、本を読んで思ったこと、スマホを見て考えたこと、イライラした、友人と会って楽しかったなど、書き出してみましょう。ネガティブな考え方や感じ方になっていませんか？　日頃の心理的状況や環境は、今後の自分の生活において大切な要素です。
「音 1」の今日は変化、変動のスタートの日です。FB グループに入っている方は積極的にこの 13 日間、または 52 日間の目標を投稿して下さいね。

白い世界の橋渡し（キーミー）
赤い蛇
音2

状況に応じて対応を変えましょう。
人を喜ばす、励ます行動をしてみましょう。

今日から連続して黒● KIN の 10 日間が始まります。今日は人を喜ばす、
励ますこと、例えば「気遣う言葉をかけて励ます」「実際に何か手伝う」
などしてみましょう。
そして周りの状況や環境に対応することも意識してみましょう。
例えば人間関係の中で、親のいつもネガティブな発言に疲れる、という
場合は「きっとこの先の不安があっての発言かなぁ」と受け流す。人の
悪口を言う人に気分が悪い場合は、まず「悪口を言ってストレスを発散
させているんだなぁ」と思う。でも自分は聞いていて気分が悪いから「私
は人にはしないようにしよう」と考えるなど、拡げたいことは実際に自
分も取り入れ、拡げたくないことはしないように意識してみて下さいね。

青い手（マニーク）
赤い蛇
音3

言葉に注意しましょう。人を傷つける言い方をしていないか確
認しましょう。話し方が上手な人を探してみましょう。

今日は自分の言葉使いに意識を向け、話し方が上手な人はどんなところ
が上手なのか観察してみましょう。例えばよく見ている YouTuber がい
る、アナウンサーがいる場合は、その人の話し方が好き、声が好き、雰
囲気が好き、内容が面白い、暇だから見ているなど、理由は様々あると
思います。
その人のどんなところが好きで見ているのか、参考になるのかなど、考
えてみて、誰かに話してみましょう。
[青い手] には「チャンスをつかむ」エネルギーが流れています。自分の
人生を歩むきっかけ、チャンスは、人を通してやってきます。今日は誰か
のネットの投稿を見ると、自分が欲しい情報に出合えるかもしれませんよ。

 黄色い星（ラマト）
赤い蛇
音4

根気強く、探求心を持って思考と感情のバランスを整えましょう。発想の転換をしてみましょう。

青の始まりのKIN105の日から3日間の自分の行動や対応、言葉について意識したことをまとめて書いてみましょう。書いた物の中で特に不要だと思った物は、手放すことを決めて下さいね。
例えばネガティブに考えている、自分には無理、投稿も恥ずかしくて書けない、などと感じる時は、なぜそう思うのか、考えてみましょう。
他の人と比べていませんか？　人は得意なことや苦手なことがみんな違うから、お互いに役に立つのだととらえてみましょう。人と比べるからこそ落ち込んだりするものです。落ち込んだら気持ちを切り替えましょう。
KIN105からの3日間で自分の思考パターンや行動、言葉から、ネガティブなものを徹底的に手放しましょう。

 赤い月（ムールク）
赤い蛇
音5

生活に1％だけ新しい習慣を取り入れてみましょう。
拡大させたいことを明確にしましょう。

今日は1日のうち15分だけ新しいことを取り入れてみましょう。私たちは皆、平等に1日24時間という同じ時間を過ごしています。その時間の使い方次第で不安や不満にとらわれて過ごすのか、心豊かに楽しく過ごすのか、全く違う日常生活になります。
毎日の繰り返しの中で、寝る前10分の過ごし方を変えてみましょう。寝る前にまずは最初の5分で今日の出来事で「感謝できること」を5つ書く、残りの5分で書き出したことに対して、心の中で「ありがとうございます」と言うと、これだけで睡眠時間が心地いい時間に変わります。24時間の中で3分の1を占める睡眠時間を質の良いものに変えると、思考や行動パターンが変わります。

KIN 110

   白い犬（オク）
赤い蛇
音6

愛情表現として自分が使ってる言葉や態度を意識してみましょう。何か1つ決断しましょう。

今日は誠実な対応、尊重や尊敬する態度を意識してみて下さいね。
例えば好きな相手にわざと冷たく接してみたり、恥ずかしいからまともに目を合わせないようにして、相手に誤解を招く行動や言葉を使っていないか確認してみましょう。
また、自分で勝手に決めつけて、勝手に落ち込んでいることがないか確認してみましょう。例えば「いつも叱られるから嫌われている」と勝手に思っていないですか？ 本当はその方自身に事情がある、またはあなたを思って叱っているかもしれません。
愛情表現は優しさだけでなく厳しいことも愛情表現であると分かると、接し方も変わります。

KIN 111

   青い猿（チューエン）
赤い蛇
音7

集中力を養うために「道」のつくことを体験してみましょう。
自分と同じくらい他者を思いやりましょう。

学びの姿勢、思いやり、目に見えない感覚や気、人としてどう生きるのかという深いレベルの学びを体験してみましょう。
私がオススメするのは茶道体験です。茶室はお客様を迎える前日から、掃除をし、掛け軸や季節の茶花の準備をします。その場の空間を心地よく過ごせるように整える、相手へのおもてなしに溢れています。
普段見ない作法、あまり聞かないお茶を点てる音、味わうお菓子と抹茶、茶碗を手に取って触れる感覚、五感すべてを同時に刺激できる空間に身を置くことが、人への思いやりの気持ちに気づくきっかけに繋がります。
関東、関西でオススメの茶室がありますので興味のある方はFBに投稿して下さいね。場所をアップします。

黄色い人（エブ）
赤い蛇
音8

目先にとらわれず、自分の意志を貫きましょう。気持ちよく過ごすために長期的に続けられることを見つけましょう。

自分の意志を持った生き方にこだわってみましょう。自分の生き方とはありのまま生きることです。そして当たり前の毎日を繰り返し人生は成り立っています。その継続の中で何を続けると、この先自分のためになるのか？　ということに意識を向け、これから続けていくことを探しましょう。本書の深呼吸や寝る前10分の過ごし方を続けていくのもいいですし、その他、本やSNS、人の話からヒントを得ることもあります。
今日は好奇心を持って、興味のある場所に積極的に足を運んでみましょう。ありのままの自分を生きるとは現状でOKだと何も行動しないこととは違います。ありのまま生きることは常に自分の心と体と相談し、成長のため、変化を恐れず生きること、ととらえてみましょう。

赤い空歩く人（ベン）
赤い蛇
音9

人を元気づけることをしてみましょう。
目先が見えなくても流れに乗ることを意識してみましょう。

今日は[赤い空歩く人]のボランティア精神旺盛なエネルギーが流れています。実際に自分が今できることで人に対して喜んでもらえることをしてみましょう。例えば寄付をする、手伝う、地域の掃除をする、電話で励ますことなどをしてみましょう。また「音9」の日はワクワクする、人の話に耳を傾けることをするとシンクロ（P.19）です。どんな時、自分はワクワクするのか？　を自分に問いかけることもしてみましょう。目先が見えない時はホロンワークで自分の心と体に問いかけることをしましょう。ワクワクした気持ちでいることを意識しましょう。こうした見えない継続の先に、よい流れが生まれ、ある日開花することに繋がります。

白い魔法使い（イーシュ）
赤い蛇
音 10

言葉や行動に注意して、誠心誠意尽くすことを意識しましょう。
展開する力が降り注ぐ日です。

気持ちはあるのに行動できていないことをしてみましょう。
例えば心で理想や憧れを思うばかりで何も行動していないこと、先祖や
親に感謝の気持ちはあるけど伝えていない、などがあったら、実際に言
葉や行動に移し、目に見える形にしてみましょう。心で思いながら行動
に移せない時は、なぜ行動に移せないのか、その理由が分かると行動し
やすくなります。
また、例えば「写真家になりたい」という理想の姿があるけど、なかな
か行動を起こせない場合は「なぜ写真家になりたいのか？」を明確にす
ると、そのために行動を移しやすくなりますし、逆になる必要がないこ
とに気づくかもしれません。

青い鷲（メン）
赤い蛇
音 11

テーマを決めて、没頭しましょう。
ストレスが発散することをして過ごしましょう。

今日１日、何かテーマを１つに絞ってみましょう。仕事でこれをやる、
家事はこれをきっちりやる、片付けはここまでやるなど、自分でできる
ことを１つ決めて没頭しましょう。
また「音 11」の日は「相反する」エネルギーが流れています。ストレス
を発散させることをするとシンクロです。歌を歌う、泳ぐ、山登りに行く、
散歩は最低 15 分歩く、買い物に行く、ご馳走を食べるなど、自分なりの
ストレスが発散することをしてみて下さいね。
人は同時にいくつものことをすることはなかなかできないので、楽しい
ことに没頭していると不安や不満を感じることがなくなります。
今日は色々やる必要はありません。何か１つに没頭してみましょう。

KIN 116

  黄色い戦士（キーブ）
赤い蛇
音12

新しく挑戦するテーマを見つけましょう。
人、もしくは自分と対話をする時間を持ちましょう。

今日は新しく挑戦するテーマを見つける日。そのために人、もしくは自分の心と体と対話することをして過ごしましょう。
自分の本来望むことは外側ではなく、自分の内側にあります。色々な挑戦をしているのに、どれも成果が出ない場合は、「人や周りの望むこと」に挑戦している可能性があります。自分が挑戦しようとしていることは本当に「自分の心も体も望むこと」なのか？　しっかりと対話してみて下さいね。体調に異変がある方は休息が必要かもしれません。自分のやりたいことが分からない、退屈だなぁ、何か分からないけど満たされないなぁと感じている方は、自分の心と体の声を聞いて何か始める、動くことが必要かもしれません。

KIN 117

  赤い地球（カバン）
赤い蛇
音13

シンクロニシティを意識してみましょう。
やり残したことがあればそれをやってみましょう。

今日はシンクロニシティ（P.19）で起こる偶然の一致を意識してみましょう。自分の思うように過ごせたことも、すべてシンクロです。
この13日間の自分の行動、言葉、思考について意識して行動したことを振り返ってみましょう。黒● KIN が連続10日続き、バタバタした方、変わることを余儀なくされた方、思ったことが次々に叶った方、しんどい、ツライ、大変な状況に直面している方もいるかもしれません。ただ「自分に起きることは乗り越えられるから起きている」ととらえてみましょう。何かやり残したことや気になっていることをもう1度やってみましょう。
FB グループに入っている方はこの13日間の出来事、起きたシンクロなどを投稿してみて下さいね。

あなたの不調を改善させていく期間

KIN118 ～ KIN130

捨てる、手放す、視点を変えよう

KIN118 ～ KIN130 までは、変化、変動の流れも中間地点に差しかかるところです。特に、1日1個、実際に物を捨てる、もしくは1つ考え方を変えることを意識して過ごしましょう。

KIN 118

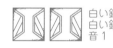

白い鏡（エツナブ）
白い鏡
音1

自分が理想としない姿を書き出してみましょう。
身近な物で手放すものを決めましょう。刻印に良い日です。

自分が将来、こんな風になっていたら嫌だなぁと思うことを書いてみましょう。理想や憧れの人は書ける方も多いかもしれませんが、本来の自分の望みに気づくためには、こんな風になったら嫌だなぁと思うことを書き出しておくと、目の前にそんな人が表れた時に、反面教師として学ばせていただけます。

例えば「自分の都合で人にあたる人が嫌」「すぐに怒る人が嫌」「人に嫉妬ばかりする人が嫌」「人の悪口を言う人が嫌」など、なりたくない人物像を書き出しておきましょう。

また、身近な物で衣類や靴、バッグ、本や食器など、あまり使っていない物があれば何か1つ捨ててみましょう。

KIN 119

青い嵐（カウアク）
白い鏡
音2

考え方を変えることをしてみましょう。
できるだけワクワクして過ごすことを意識してみましょう。

今日は昨日とは逆に理想とする姿を書き出してみましょう。これはどんな不調をお持ちの方にも共通する考え方の1つとしてお伝えしています。例えば「笑顔で人と挨拶する」「自分の意見をきちんと伝えられる」「積極的に行動する」など理想とする姿を持っていると、実際にそんな風に振る舞うことができます。理想の姿を意識していると、すぐにできることは少ないかもしれませんが、自分の意見をきちんと伝える人は、こんな振る舞いをするだろうか？　などと、自分で少しずつ考え方を変えて理想の姿に近づく行動が増えていきます。
何か1つでも理想の姿を書いて、そのために今できる行動を意識して過ごしてみて下さいね。

KIN 120 ◆

黄色い太陽（アハウ）
白い鏡
音3

すべてプラスととらえてみましょう。
太陽の光を浴びる時間を持ってみましょう。

ネガティブなこともポジティブなことも、どちらも公平に受け止めてみましょう。
[黄色い太陽] は、「万物を平等に照らす」エネルギーが流れています。人はどうしても光が当たる部分に目がいき、影は見ない、もしくは見ないフリをしてしまいがちです。しかし光のあるところには必ず影ができます。それも公平に受け止めてみましょう。太陽の光を浴びると、体全体が温かいエネルギーに満たされ、無条件に幸せを感じます。幸せには理由はありません。今生きている、それだけで幸せを感じる人もいます。「音3」の日は、繋がるエネルギーが流れています。ぜひ、自分の心と体と繋がるイメージを持って太陽の光を浴びてみましょう。

KIN I2I

赤い竜（イーミッシュ）
白い鏡
音4

現実を変えるのではなく、現実のとらえ方を変えてみましょう。
ワクワクする考え方をしてみましょう。

現実に起きていることの見方を変えてみましょう。例えば「仕事のミス」
「資格試験の失敗」「体調不良」など……、現実を変えるのは難しいですね。
でも、いつまでも仕事や試験で犯した失敗を悔やんでいると心もネガティブ要素で満載になります。
天気や自然災害なども人の力ではどうにもならないことですよね。同じように、事実は事実として前向きにとらえるようにしてみましょう。
例えば体調が優れないと落ち込みますが、休むために不調になったのかも、美味しい物をいっぱい食べて栄養補給しよう！　という具合に考えると、ワクワクしてきませんか？　何か１つ、ネガティブな考え方をポジティブに変えてみて下さいね。

KIN I22

白い風（イーク）
白い鏡
音5

右脳と左脳のバランスを意識してみましょう。
芸術に触れる体験をしてみましょう。

今日は自分の脳の使い方を考えてみましょう。
脳には右脳（直感やクリエイティブ思考）と左脳（計算や理論的思考）で働きが違います。日々の生活上、仕事や家事では左脳を使うことが多く、ほとんどの人は左脳がとても活発に働いています。
右脳を使わないと直感やクリエイティブ思考を使う機会が少なく、体験や経験から理論的に常識的に物事を考えていくようになります。「自分は何をやっても上手くいかない」と思う場合、左脳的な考え方では過去の経験から未来も上手くいかないだろうと考えることになってしまいます。
今日は、右脳を刺激する左手を使う機会を増やしたり、芸術鑑賞をする時間を持ってみて下さいね。鑑賞後の感想も書いておきましょう。

KIN 123

青い夜（アクバル）
白い鏡
音6

誰かにお願いすることを1つしてみましょう。
夢や目標をイメージしてみましょう。

今日は人に何かを依頼することをしてみましょう。仕事も家事も、夢や目標を達成するために、すべてを自分1人でやってしまっている、ということはないですか？　例えば「買い物を家族に頼む」「調べものを人に聞いてみる」「友人にランチの店を予約してもらう」「仕事を同僚に手伝ってもらう」という具合に自分だけで頑張るのではなく、人に協力してもらうことをすると、時間にゆとりが生まれ、自分も楽になるし、人に感謝することにも繋がります。
また夢や目標を文章や絵に書いてみましょう。実際に書いていくと、そのためには何が必要なのかが具体的に見えてきます。KIN103の日に書いたように連想式に書いていく方法で夢を膨らませてみて下さいね。

KIN 124

黄色い種（カン）
白い鏡
音7

自分がワクワクすることをしてみましょう。
楽しいことに熱中してみましょう。

今日は[黄色い種]の「目覚め、開花」のエネルギーが流れています。
[黄色い種]のサポートになるクランベリーを朝食に食べて時間も忘れて熱中するくらい、楽しいことをして過ごす時間を30分持ってみましょう。
自分が何をしている時がワクワクするのか？　楽しいと感じるのか？
分からない方は子供のころ好きだったこと、熱中していたことは何だったか、振り返ってみましょう。子供のころは無我夢中で自転車に乗っていたかと思うとサッカーをしていたり、次の瞬間は絵本に夢中だったり、次々興味のあることをしていたと思います。昔、興味のあったことに気づいた方はそのことを思い出し実際に体験してみましょう。難しい場合は、今それを実際にしている方を雑誌や本、ネットで見てみましょう。

KIN 125

赤い蛇（チークチャン）
白い鏡
音8

今日は自分の体を休めましょう。
身近に感じることのとらえ方を良い方に変えてみましょう。

今日、［赤い蛇］は、頭で考えることをしやすいエネルギーが流れています。バランスを取るために、足を動かすこと、土に触れることをしてみましょう。具体的には公園を散歩する、花の苗を買って来て植える、畑に足を運ぶ、いつもより遠回りして歩くなどのことをしてみて下さいね。また人は身近なことでも考え方を変えると気分が晴れることがあります。例えば「仕事の締切まであと3日しかない」→「あと3日もある」「お金がこれだけしかない」→「お金がこれだけある」「友達が3人しかいない」→「友達が3人もいる」など。前者には不安や不満が生まれ、後者には希望やゆとりが生まれます。現実は変えられませんので、考え方を良い方に変えていくことをしてみて下さいね。

KIN 126

白い世界の橋渡し（キーミー）
白い鏡
音9

チャンスについて考えてみましょう。
自問自答してみましょう。

「チャンスの神様」について意識してみましょう。ギリシャ神話の時間を司る神様には、クロノスという量的・客観的な時間の神様と、カイロスという人や場面によって流れ方が違う質的・主観的な時間の神様がいます。カイロスは一瞬や大切な時の質を表し、人生において2度と訪れないチャンスもそれと言えます。
「ふとひらめいた」「人と会った時突然気づいた」「ピンときた」そんな経験があることと思います。その時はある日突然来ることが多く、いつ来るか分かりません。そのチャンスをつかむためには迷いは禁物。一瞬で通り過ぎてしまいます。自分の夢や目標に向かうチャンスをつかむために自分ができる準備は何か？　自問自答してみて下さいね。

KIN 127

青い手（マニーク）
白い鏡
音10

たまには素直に人に頼ることをしてみましょう。
体を癒しましょう。

人に甘えたり、頼ることをしてみましょう。[青い手] には優しさのエネ
ルギーが流れています。悩みや相談したいことを誰にも言わず１人で抱
え、自分は何も問題ないです！　と笑顔で人を励ますことばかりしてい
ませんか？　このご時世、働きながら子育てをし、主婦業に加え今では
親の介護をされている方もいらっしゃいます。これでは体がいくつあっ
ても足りません。こんな状況が長く続くと、ある時「なぜ自分だけがこ
んなに大変なのか」と不満が出て心も体も悲鳴をあげてもおかしくあり
ません。今日は周りの人に頼ることをしましょう。頼ることができる人
は自分の弱さを受け止め、状況を把握できている人です。
また、体を癒すために睡眠時間を７時間以上たっぷり取りましょう。

KIN 128

黄色い星（ラマト）
白い鏡
音11

人間関係において、自分が日常、何を優先しているか考えてみま
しょう。その上で、相手を受け止め、考え方を変えてみましょう。

今日は自分が何を優先して物事を考えているか意識してみましょう。
例えば「何をするにも健康が最も優先」と考える人もいれば「何をする
にもお金が最も優先」と考える人もいます。家族や友人でも、その基準
はみんな違います。
家族に変わって欲しいと思うと、苦痛が生まれます。なぜなら相手を変
えることは難しいからです。例えば自分はお金が大切と思っていても、
お金にルーズな家族を変えることはできません。
できることは１つ、自分のとらえ方です。人をそのまま認め受け入れる
ことです。無理に反発する方がより不満を増やします。不満を増やす考
え方ではなく、そのままの相手を受け止めて、不満を手放しましょう。

KIN 129

赤い月（ムールク）
白い鏡
音 12

自分自身を見つめ、達成感を得ることをしてみましょう。
瞑想してみましょう。

今日は自分で自分を認めることをしてみましょう。
「自分はなぜこんな簡単なことができないんだろう」「いつも失敗ばかり
してガッカリする」という具合に、自分ができない、失敗したことでは
なく、自分ができたことに意識を向けてみましょう。「片付けができた」
「物を捨てた」「笑顔で人と接した」など、すぐにできることを今日の目
標にして、自分で達成感を味わってみましょう。
この時、人がほめてくれることを意識するのではなく、自分で自分をほ
めることを意識してみて下さいね。
また瞑想をして、自分を見つめる時間を持ってみましょう。目を閉じる
だけでも脳は休まりますので、最低3分目を閉じてみて下さいね。

KIN 130

白い犬（オク）
白い鏡
音 13

思いやりについて考えてみましょう。
この13日間でやり残したことを何か1つしてみましょう。

家族や友人に対して「親しき仲にも礼儀あり」を意識してみましょう。
親しい間柄だとどうしても気が緩み態度が横柄、言葉足らずになりがち
です。相手が横柄な態度だと自分も自然と横柄になるものです。
目の前の人は自分を映す鏡として受け止めてみましょう。今日は［白い
犬］の「家族愛」のエネルギーが流れています。身近な人に対して思い
やりをもって接していますか？　いつも元気で働いてくれる夫にお疲れ
さまの気持ちを伝える、いつも励ましてくれる友人にありがとうの気持
ちを伝える、などをしてみましょう。これは相手に対する思いやりがある
からできることです。これを続けていくことで人間関係の改善にも繋がり
ます。この13日間を振り返ってやり残したことがあればして下さいね。

あなたの不調を改善させていく期間

KIN131 ~ KIN143

すべてにおいて楽しみ、
気楽を意識しよう

KIN131 ~ KIN143 までは、260日サイクルの後半の始まりに
あたります。この時期は特に「楽しみを見出すこと」を意識
してみて下さい。
また不満や不安、不調はこの先の人生をより楽しむために起
きているととらえてみましょう。

KIN 131

  青い猿（チューエン）
青い猿
音1

不調を改善させるための新しい習慣を始めてみましょう。
新しい目標を書いてみましょう。

不調を改善するための習慣を持っているか、考えてみましょう。
最も簡単にできる改善法は「笑顔」でいることです。以前にも紹介しま
したが、「笑う門には福来る」と言うように、口角を上げると脳内にα波
が増えリラックスし、またやる気を高めることになります。「楽しいから
笑う」のではなく「笑うから楽しくなる」というのが脳の仕組みです。
そして、笑顔でいると、人にも良い影響を与えます。私はよくパソコン
の前に座ってブログなどの書き物をしていますが、そんな時も口角を上
げるように意識しています。笑顔を作ることはすぐにできることです。
ぜひ笑顔でいることを意識してみて下さいね。
笑顔を新しい習慣にして、今日から13日間の目標を書いてみましょう。

KIN 132

  黄色い人（エブ）
青い猿
音2

自分自身がまず他の人を心から理解してみましょう。
不安が生じてもまず受け入れましょう。

今日は相手の立場に立つことを徹底して過ごしてみましょう。
例えば「自分が旦那様の立場なら、奥様に自分を選ぶか」「自分が友人の
立場なら、自分を友人に選ぶか」「自分が上司の立場なら、自分を部下に
したいと思うか」などです。相手の立場に立った場合、もっとこんな風
にしてみよう、自分はここが足りない、などと思い当たることがあると
思います。
そして気づいたことを1つ実践してみましょう。「ダメだ」と不安が生
じても、その不安は自分の嫌なところを見たために起きていることです。
ただその不安を受け入れましょう。最初は改めることに気づくだけで大
丈夫です。そのダメだと思った理由は何か？　自分に問いかけましょう。

KIN 133 ★

  赤い空歩く人（ベン）
青い猿
音3

興味のあることをして過ごしましょう。
未体験のことに挑戦してみましょう。

今日は自分がこれをしたら楽しいと思うことを思いっきりしてみて下さ
い。何をしている時が楽しいか分からない方は本を読む、もしくは好き
な物を食べることをして過ごしてみましょう。
また、未体験のことに挑戦してみるのもオススメの日です。ポイントは
ワクワクすること。いくら未体験でもワクワクしないことは苦痛でしか
ないので、要注意です。未体験のことを体験すると、普段自分が会う人
たちとは違う価値観や考え方に出合えるかもしれません。
「音3」の日は「尽くす、繋げる」エネルギーが流れています。興味のあ
ることから、この先何をどう繋げ、拡げるのか？　未体験のことから自
分が得ることは何か？　それを意識して過ごしてみて下さいね。

KIN 134

白い魔法使い（イーシュ）
青い猿
音4

許容範囲を広げることを意識してみましょう。
すべてにおいて受容することを意識してみましょう。

今日は自分の視野を広げることを意識してみましょう。
人は常に自分の考えを基準に物事を判断しています。そして違う考え方に触れると、どちらが適当かどうかと言い合ったり、答えをどちらかに強制したりしがちですが、考えるだけで辛くなります。強制している時点で楽しみも軽減されています。
物の見方には色々あります。自分の見方だけだと、どうしても堅苦しくなってしまいます。色々な考え方を受け入れられる「許容範囲」を広げていきましょう。それをしていくと色々な意見に耳を傾けられ、楽しみも増えていきますよ。

KIN 135

青い鷲（メン）
青い猿
音5

心の声を聞いてみましょう。
苦難、困難は創意工夫をして乗り越えましょう。

今日は自分が目の当たりにしている苦難、困難を楽しみながら乗り越える方法を考えてみましょう。
例えば家事がたまっているのに全くやる気が起きない時、お掃除グッズを変えて、楽しいデザインや、おしゃれで持ちたくなる物にしてみましょう。意外とスムーズに片づけられます。また仕事が忙しく定時で帰れない時はデスクに好きな写真を置いて笑顔になれる仕掛けをしましょう。
また、笑って損した人なしということわざがあるように、心の声を聞く時は深刻にならずに、笑顔でリラックスして耳を澄ませてみましょう。
笑顔でいると楽しい波動がやってきます。できるだけ工夫して楽しみを見出してみましょう。

KIN 136

黄色い戦士（キーブ）
青い猿
音6

相手の立場に立って思いやりのある行動を意識しましょう。
疑問を持って取り組みましょう。

考えるより行動することを意識しましょう。[黄色い戦士]は自問自答するエネルギーが流れています。常に相手の立場に立っての行動を意識しましょう。自分と親、自分と旦那、自分と上司、自分と部下の立場を自分なりに考えて、優しい言葉を意識してみて下さいね。
例えば挨拶のあとに一言気遣う言葉を付けてみましょう。「おはよう、今日は傘を持って行った方がいいよ」「おはようございます、寒くなりましたね」という天気や季節を表す言葉はすぐに実践できますね。
今日実際に相手の立場に立って実践したことをメモしておきましょう。また人から得た情報は本当なのか？　本当に必要か？　役立つのか？と疑問を持ち、取り入れるか判断してみましょう。

KIN 137

赤い地球（カバン）
青い猿
音7

心の揺れ動きに敏感に反応しないようにしましょう。
古いこだわりを手放すことを意識してみましょう。

毎日人と接していると、イライラする、腹が立つことをされる時があると思います。「旦那の態度に腹が立つ」「異性関係は面倒だ」と思っていると、積極的に旦那と接することも異性関係を持つこともなくなってしまいます。このように思っていては、いつまでたっても人間関係は改善されません。「腹が立つ旦那は世間に山ほどいる」ととらえ、いちいち腹が立つ行動に敏感に反応しないように努めてみましょう。
イライラするのは、相手の気持ちが読めないからでもあります。「なかなか相手の心の声を感じ取れない」ということは、「今は知る必要がない」時期、「自分がどうしたらいいのか分からない」時は「まだ時期が来ていない、ほかに身近にできることがあるよ」というサインかもしれません。

KIN 138

白い鏡（エツナブ）
青い猿
音8

自分の姿を鏡に映してみましょう。
自分を見つめる時間を持ちましょう。

今日は自分をありのまま見つめることを意識してみて下さいね。オスス
メの方法は自分の短所ではなく長所、自分のこんなところが好き、とい
う箇所を探すこと。そしてそれを書き出すことです。人に聞いてみるの
も良いですし、自分で思うことでも大丈夫です。
最低２０個書き出してみましょう。今日は５つしか思いつかなくても、
引き続き書き出していくことをオススメします。数が増えていくにつれ、
自分の長所が増えるので、心がワクワクしていきます。
今日は、数はいくつであれ、自分の長所を書き出せたら「探せばあるあ
る」「今日はできた」と自分に言ってほめてみましょう。また、鏡に向か
って、笑顔のあなたを見つめてみましょう。

KIN 139

青い嵐（カウアク）
青い猿
音9

ワクワクする新しい場所へ出かけてみましょう。
芸術に触れることで新たな気づきを得られる日です。

今まで行ったことがない場所、または行きたいと思いつつ行く機会がな
かった場所へ足を運んでみましょう。自分がワクワクすることであれば、
例えば海外へ行く予定を立てるのもいいですね。
海外へ行くことに興味がない、特にワクワクすることが思いつかない、
という方は、芸術、特に陶器や磁器の展覧会に行ってみましょう。
土から作られた陶器には、自然の息吹が宿っています。陶器の種類や歴
史を知ると、どの時代にどんな陶器が作られ、どんな風に使用していた
のかを想像できます。また自分が普段使用しているコップやお茶碗はど
んな質感か？　柄はどのように描かれているか、作った方はどのような
思いで作られたのかを想像してみましょう。

黄色い太陽（アハウ）
青い猿
音 10

宇宙の法則に触れてみましょう。
トラブルも良い前兆ととらえましょう。

マヤ暦を含め宇宙の法則と言われるものを意識してみましょう。マヤ暦は易学とも関わりがあるとされていますが、易学は陰陽から成り立つと言われています。「はじめに」の部分でも書きましたが男女、上下など、どちらもあるから絶妙なバランスがあります。

今もし、自分が上手くいかないこと、始めたことが軌道に乗り始めたのに事故に合う、病気にかかる、家庭の事情で進められないといったことが起きている場合は、「良いことが起きる前兆」ととらえてみましょう。「浮き沈み七度」ということわざがあるように、人生には何度も浮き沈みがあります。一喜一憂せず、それも必要なことと受け止めてみて下さいね。そうとらえると、今の心や体の不調も楽になりますよ。

赤い竜（イーミッシュ）
青い猿
音 11

自然体を心がけてみましょう。
時間にとらわれず、楽しく過ごすことをしましょう。

今日は無理しない、飾らない、を意識してみましょう。無理して付き合っていることはないか？　背伸びして良く見せようとしていないか？などと意識して、無理していることがあればやめましょう。家事や育児、仕事と家事の両立など、見直せることはないか意識してみて下さいね。

また、時間は楽しくても辛くても同じ長さなのに、なぜか楽しい時間は早いと感じませんか？　友人との食事やデートは早いのに、仕事や気が乗らない付き合いは時計を何度も見たことがある方も多いのでは？　好きなことや夢中になれることをしていると時間はあっという間に過ぎます。同じ時間を楽しい時間で満たすのと、辛い時間で塗りつぶすのでは体調に差が表れます。楽しい時間を過ごすことを意識してみて下さいね。

KIN 142

白い風（イーク）
青い猿
音12

今、自分にできる最善を尽くしてみましょう。
感情的にならず、問題を解決する姿勢を意識しましょう。

今やることにキチンと向き合いましょう。朝は挨拶をする、家事では料理は手作りする、洗濯はアイロンがけまで徹底する、仕事は今日中の締め切りを設定して、そこに集中しましょう。

また日常では予想外の出来事が起きることがあります。電車が遅れて待ち合わせに遅れそう、予定をドタキャンされる、理不尽なクレームをつけられるという体験をしたことがある方も多いと思います。そこで大切なことは感情的になって怒るのではなく、「他に手立てはないか」「空いた時間を有効にしよう」「クレームはその人の問題である」、と冷静にとらえてみること。冷静だとアイデアや工夫ができて、問題を解決へ導くことができます。上手くいかない時ほど、冷静を意識してみて下さいね。

KIN 143

青い夜（アクバル）
青い猿
音13

起きることはすべて自分の中に原因があると意識してみましょう。自分の望む姿を明確にイメージしましょう。

現状はすべて自分が発信していることと受け止めてみましょう。思うように過ごせていること、仕事が上手くいかないこと、何に向いているか分からないこと、すべては自分が体験してきた結果起きています。

自分が何をしたいのか分からない理由は何度も紹介している通り、自分の相棒である心の声、体の声を聞いていないことです。人は毎日家族や職場の人はじめ友人、知人、様々な人や物から情報を聞き、そこから自分の価値観を築いていますが、自分が本当に望むことは何なのか？　このタイミングで自分と向き合う時間を少しでも持ってみて下さい。[青い夜]の日は、夜空を見てイメージを膨らませてみましょう。この13日間を振り返り、やり残したこと、どんなことがあったかなど、書きましょう。

あなたの不調を改善させていく期間

KIN**144** 〜 KIN**156**

不安や不満と向き合い、
気づきのある生活を目指そう

KIN144 〜 KIN156 までの13日間は、KIN105 からの39日間を振り返り、自分の本来望む姿に気づくために、また、自分の本当に望むことは何か？ に気づくために、できるだけ自分が持つ「感覚、勘」を働かせることを意識してみましょう。

KIN **144**

黄色い種（カン）
黄色い種
音1

色々なことに関心が向きやすい時です。
気づきを得るためにはテーマを絞り、具体的に実践しましょう。

今日は「待てば海路の日和あり」を意識してみましょう。
自分の望む姿を生きるために毎日努力しているけれど、時には何も結果が表れない、いつまで続けたら上手くいくんだろう、と思うこともあるかもしれません。そんな時は結果にこだわるのではなく、ただ続けることを楽しみながら、喜びを感じながら続けていると、忘れたころに良い結果が表れます。気づきを得るために、自分が気づいたら続けていること、興味を示していることにテーマを絞って取り組みましょう。
脳科学によると人の脳は同時に3つ以上のことに取り組むと疲労を感じストレスホルモンが分泌されるそうです。短期間であれば集中力も上がるのですが、長期間続くと疲労から病気へと移行する可能性も高まります。

KIN 145

赤い蛇（チークチャン）
黄色い種
音2

情熱を持って取り組めることに目を向けてみましょう。望む姿
は忘れたころに表れることとして胸に止めましょう。

無駄な時間を過ごしていないか確認してみましょう。
スティーブ・ジョブズの言葉に「あなたの時間は限られている。だから
他人の人生を生きたり無駄に過ごしてはいけない。大事なのは自分の心
と直感を信じる勇気を持つことだ」とあります。今自分がやっているこ
とは本当に自分が望んでいることなのか？　誰かに言われたから、その
影響でしていることではないのか？　向き合う時間を持ってみましょう。
今日1日、何かしたからといって、すぐに表れることは少ないかもしれ
ません が、小さな積み重ねが、あなたの望む姿として、忘れたころに表
れます。自分が心から情熱を持ってできること、自分が楽しんで取り組
めることに集中してみて下さいね。

KIN 146

白い世界の橋渡し（キーミー）
黄色い種
音3

目に見えないことに意識を向けてみましょう。起きていることは
すべて自分の心（魂）からの成長ととらえてみましょう。

今日から10日間連続で黒● KINの日が続きます。心で思ったことはそ
の通りになりやすいエネルギーの時。エネルギーに合わせて変わること
を受け入れましょう。
今日は目に見えない精神的なものに目を向けてみましょう。自分の短所・
長所は自分では主観的に見ているので気づきにくいものです。人に自分
のことを客観的に聞いて、直す点を見つけるのがオススメです。
現状がとても辛い、上手くいかない、楽しくないと感じる時は、自分の
成長のために体験しているととらえると、一転することがあります。例
えば人の話は素直に聞く、学ぶ姿勢を持つ、感謝の気持ちを持つ姿勢が
あれば、心からの成長へと展開していきます。

KIN147

青い手（マニーク）
黄色い種
音4

すでに備わっている自然治癒力の大切さに気づきましょう。
自分がコントロールできないことは手放しましょう。

今日は自然治癒力について意識してみて下さいね。例えば指を紙で切った時、血が出ますが、普通は特に何もしなくても自分の意志と関係なく自然とすぐに止まります。これは血液の中の血小板などが、傷口を見つけると塞ぐ役目をするからです。このような自然に治癒する力を私たちはすでに持っています。他にも心臓の鼓動、呼吸、頑張らなくても自動的に修復できることに気づくと感謝しかありません。また自分がコントロールできないことで人を自分の思うようにしようとしていることはやめましょう。マヤでは「自分のものは何もない」という考えがあります。パートナーは自分の成長のために出会わせていただいた人、子供は天からの授かりもの、ととらえてみましょう。

KIN148

黄色い星（ラマト）
黄色い種
音5

心の豊かさ、物の豊かさについて考えてみましょう。
きれいに整えること（見た目、内面）を意識してみましょう。

日ごろ無意識に持っている欲や執着と向き合ってみましょう。例えば「このブランドの服が欲しい」「あの人と付き合いたい」と欲に意識が向き、それらを手に入れれば物心共に豊かになると思っているかもしれません。確かに物を手に入れると一時的に豊かさを感じますが、1つ手に入れるとまた次に欲しい物が出てきます。
これは、手に入れると心も満たされると思っているだけです。人や物に執着を持ち過ぎると、それが手に入らなかったり人間関係が崩れた時に大きなショックを受けます。こんな時はひとまず、深呼吸をしましょう。
［黄色い星］は「姿形を整える」エネルギーが流れています。普段のメイクにキラキラアイテムを足して気分を上げましょう。

KIN 149

赤い月（ムールク）
黄色い種
音6

動機をいかに浄化するか考えましょう。
自分の心の中の浄化をしてみましょう。

今日は自分に起きることは、心の反映であると意識してみましょう。日々の日常生活の中で無意識に抱えているものを手放してみましょう。
例えば「あの時こうしておけば良かった」という後悔、「なんてバカなことをしたんだ」という自責の念は、自分が本来望む姿を生きることに足止めをしています。後悔や責めは心にダメージを与え、心の声を聞きにくくしてしまいます。誰かに責められると何も言えなくなることってありますよね。それを自分で自分の心にしているのと同じことになります。
過去の後悔や責める思いを持ち続けていると時間は過去で止まったままです。今思いつく範囲で大丈夫です。後悔や自分を責める思いを持っていないか？　書き出し、これからは今を生きる、と宣言しましょう。

KIN 150

白い犬（オク）
黄色い種
音7

献身的な愛について考えてみましょう。
感動することをしてみましょう。

献身的な愛を持ち、誠実に生きているか考えてみましょう。
誠実とは私利私欲がなく、真心を持って人や物事に接することです。最も身近な自分や家族に対して誠実に接しているか意識してみて下さいね。人を思いやる言葉に気を配る、人を見て自分が今何ができるかを意識する、自分の心や体を大切にすることをしてみましょう。
また、自分が感動することを体験すると気づきが得られる日です。映画を見て感動する、美味しい物を食べて感動する、憧れの人に会って感動する、多々あります。感動すると心の筋肉、つまり「心力」がついてくるので気づきを得やすくなります。体だけでなく、心も同様に心力をつけるために、感動することを意識してみましょう。

青い猿（チューエン）
黄色い種
音8

自分の本来持つ特徴を活かすことを思い出しましょう。
ありのままを意識してみましょう。

自分が本当にやりたいと思っていることは何か？　を意識する時間を持
ってみましょう。心と体に直接問いかける、また子供のころ興味を持っ
ていたことを思い出してみる、といったことで糸口がつかめることがあ
ります。また、今自分がやりたいことが分かっている方は実際にその方
向へ進むための具体的なことをやってみましょう。
「ありのまま」は人と比べる、誰かの人生を生きることではありません。
人はみんなそれぞれに特徴を持って、発揮する場も違います。運動が得
意な人もいれば料理が得意な人もいる、敏感な人もいれば鈍感な人もい
ます。自分の特徴を変えようとするとストレスを感じます。自分の特徴
を活かす言動、行動、考え方を意識して下さいね。

黄色い人（エブ）
黄色い種
音9

自分の本来望む姿に気づくために行動する、または整理しま
しょう。今日始めたことは絶対拡がることを意識しましょう。

今日は自分が本来望む姿に気づくための行動をしてみましょう。例えば
本屋に足を運び、その空間を感じながら気になる本を手に取って読む、
自宅の気になる場所の整理整頓する、今まで会ったことがない人の話を
聞きに行くなどがオススメです。
昨日、実際に自分の望む姿を思い出した方はそのために今日できること
は何か？　実際に行動してみて下さいね。例えば「本を書きたい」とい
う人は「本を書くための手順はどうしたらいいのか」をネットや本で調
べる、という具合に具体的に今日できそうなことを１つでもやってみま
しょう。今日は「絶対拡張」の日です。自分が今後拡げていきたいこと
を意識して行動してみましょう。

赤い空歩く人（ベン）
黄色い種
音 10

逆境をチャンスに変えましょう。
価値観や決めつけていることを手放してみましょう。

今日は日ごろ、自分が勝手に決めて判断していることはないか、意識してみましょう。例えば「あの人は○○な人だから話しかけにくい」「O型だからルーズなんだ」「男だから」「女だから」という理由で、人の意見も聞かずに一方的に判断していませんか？　勝手に判断していると行動に移すことを躊躇したり、チャンスを逃すことにも繋がってしまいます。今、自分のやりたいことが分からず止まっている方はチャンスです。何か１つ、決めつけてしまっていることを手放しましょう。
[赤い空歩く人] のサポートとなるローズの香りを付けて感覚を研ぎ澄ませてみて下さいね。

白い魔法使い（イーシュ）
黄色い種
音 11

自分の周りにいる人は自分を支え、視野を広げる、
成長させてくれる人として受け止めてみましょう。

視野を広げることを意識してみましょう。この考え方を持っていくと人間関係の悩みは改善していきます。
例えば「Ａさんの○○な考え方にイライラする」という時は「Ａさんのように○○な考え方の人もいるのね」という風に置き換えましょう。このように視野を広げることで、いちいちイライラすることなく、「○○な人」として受け止めることで、今どんな風に接するかを考えることもできますし、幅広く色々な人と関係を上手く作っていくことができるので、自分の成長にも繋がります。
今日は常に自分の心の器をできるだけ大きく持っていられるよう努めてみてくださいね。

青い鷲（メン）
黄色い種
音 12

見えない大切なものに目を向けましょう。
大切なものは脚下にある、を意識してみましょう。

禅の言葉にある「看脚下」（かんきゃっか）を意識してみましょう。これは昔の禅僧が暗い夜道を灯を持って歩いていた時に風が吹いて灯が消え、暗い夜道を灯なしでどうやって帰るのか、今何をすべきなのかを教えてくれる言葉です。今、自分が何をやりたいか、何を本当に望むのか分からないことと同じように、先が真っ暗な状況の時は、余計なことは考えず、身の回りに気を配ることが大切だという教えです。もっと言うと自分自身をよく見つめることです。
当たり前に自由に動く体、当たり前に存在する会社、人間関係は、突然なくなって初めて大切だったことに気づかされます。当たり前にある大切なものを思いつくだけ書き出して感謝してみましょう。

黄色い戦士（キーブ）
黄色い種
音 13

KIN105 からを振り返り、やり残したことをしてみましょう。
整理整頓（物と心）を心がけましょう。

今日は KIN105 の日から自分自身の不調を改善させるために実践してきた行動、言葉、思考パターン、断捨離（物と感情）、楽しみを見出した時間を振り返って、気になったことを１つやってみましょう。
きちんと整理された空間や心にはスペースがあるので、新しい情報や新しい人、新しい物がすっと入って来られるように思います。物がたくさんあり、心の中が固まった考え方や思考でいっぱいだと、入ってくるスペースがなく、受け入れることはできません。
今日は青の 52 日間がどんな 52 日間だったか、また、最近の 13 日間はどんな日々だったかを書いておきましょう。FB グループに入っている方はぜひ「今日は○○を整理します」など、投稿してみて下さいね。

"心"という見えないエネルギーに 意識を向けると自然治癒力が身につく

　以前ある有名な女優さんが「私が舞台に立てるのはこの舞台に関わっているすべてのスタッフ、プロデューサーのサポートのおかげです」と仰っていたことがあります。

　観客が見ているのは舞台当日だけですが、そのために日々の演技の練習、舞台準備、照明、衣装、メイクなど、見えない所で様々なエネルギーが重なって当日の素晴らしい舞台となって表れます。

　見えない所のエネルギーには、楽しいことだけではなく、辛いことも当然あります。どちらもあるからこそ、舞台上で人を感動させる時間を提供できるのではないでしょうか。見えないけれど舞台を創る上では欠かせない必要な要素と言えるでしょう。

　この舞台裏と同じようなことが、あなたの中でも起きています。心は常に、あなたの人生にとって味方なので、不利なこと、良いこと、悪いことを様々の方法で教えてくれます。今自分に起きていること、今自分が感じていることはすべて、あなたを心から成長させる、そして不調を自然と治癒する力を身につけるために起きているのだ、ととらえてみてはいかがでしょうか？

† MEMO †

† MEMO †

KIN 157
〜
KIN 208

黄
── あなたの不調を受け入れる52日 ──

KIN157 〜 KIN208までの52日間は起承転結の「結」、収穫、熟成、結実を迎える52日間です。日頃の自分が蒔いたことが実を結ぶ、たくさんのことを実際、収穫、吸収する時です。自分の人生、仕事、人間関係、健康、お金など、表れる結果、出来事は自分が蒔いた種として受け入れることを意識して過ごしましょう。

カレンダー内のマークの見方
● 印がある日＝「黒KIN」と呼ばれる日。とても強いエネルギーが流れる日。
★ 印がある日＝「絶対拡張の刻印日」と呼ばれる日。この日は「物事が拡がる日」。
◆ 印がある日＝「極性KIN」と呼ばれる日。1つの事を極めると良い日。
　　　　　　　※詳しくはP.12「本書の読み方」を参照してください。

あなたの不調を受け入れる期間

KIN157 〜 KIN169

心から沸き上がる不安、
不満を意識してみよう

KIN157 〜 KIN169 までの黄色の最初の 13 日間は、特に仕事や健康（食事、運動、睡眠、言葉）について意識し、改善や見直すことがないか意識して過ごしてみましょう。

KIN
157

赤い地球（カバン）
赤い地球
音 1

才能について意識してみましょう。
自分が進めたいことや仕事の目標を立てると良い日です。

自分が生まれ持つ能力について考えてみましょう。自分が積み重ねてきたことで人より得意なことは何か？　元々好きなことや得意なことがあればそれを実際に意識し、何か 1 つでも実行してみましょう。
例えば人より文章を書くことが好き、または得意な人は、実際に今日の日記、今誰かに伝えたいことを文章に書いてみるなどしてみましょう。
また [赤い地球] のバランス感覚の良いエネルギーのように、タンパク質、食物繊維、鉄分、カルシウム、ビタミン類が豊富なバランスの良い「ゴマ」を食事に取り入れてみましょう。
「音 1」の日で仕事の刻印に良い日です。刻印とは目標を心に刻むこと。
FB グループに入っている方はぜひ刻印したことを投稿して下さいね。

KIN 158

白い鏡（エツナブ）
赤い地球
音2

身を切るような思いで何を大切にするべきか考えてみましょう。内なる声に耳を傾けてみましょう。

今自分が多く時間を使っていること、仕事について向き合ってみましょう。アメリカの投資家のウォーレン・バフェットが「やる必要のない仕事は上手にやったところで意味がない」と言っているように、自分がやりたくないことで1日の多くを使っていないか意識してみましょう。もし、今何も考えずに仕事に就いている方はこのタイミングで本当に自分が望んでしている仕事なのか？　内なる心と体の声に向き合ってみましょう。心にこのままじゃいけないという不安な感情が起きた方は何かを変える、変えるための準備のサインかもしれません。朝～夕方までに15分～30分時間を取って歩きましょう。日中歩くことで、夜の睡眠時に成長ホルモンの分泌がうながされることが期待できます。

KIN 159

青い嵐（カウアク）
赤い地球
音3

心が動くもの、心が揺さぶられることをしてみましょう。体を支える骨に意識を向け、エネルギッシュに動き回りましょう。

今日は心がドキドキワクワクする場所へ行く、リズムが心地良い音楽を聞く、今心でとても気になっていることに意識してみましょう。心が動くことはこの先の自分の望む姿を示すエネルギーに満ち溢れています。心が揺さぶられることをして過ごしていくと、心の声を感じ取る力が付き始めます。
また［青い嵐］のパワフルで発散するエネルギーが流れています。運動をしてストレスを発散させたり、動き回る時間がない方も玄関で30回ジャンプしてみましょう。1日30回ジャンプするだけで骨粗しょう症を予防する効果があることが分かっています。

KIN 160

黄色い太陽（アハウ）
赤い地球
音4

自分を支えてくれる体全体に感謝しましょう。
心、言葉、行動を1つにしましょう。

今日は毎日当たり前に食べている食事が、自分を支えてくれていること
に改めて感謝する時間を持ってみましょう。
例えば食べることができるから元気に働くことができる、食べた食事か
ら栄養を吸収し、体の細胞から内臓、骨や血管、神経それぞれの機能に
連携され、目が見える、手足が動く、体の調子を良くする、考え事がで
きるなど、生きるための活動を当たり前にすることができています。
[黄色い太陽] には「感謝する」エネルギーが流れ、それをスパイスがサ
ポートしてくれます。今日食事をする時は、少しスパイスの効いたカレ
ーや、スパイスを使った食事で体を温めると共に心から「いただきます」
という気持ちと言葉を伝えじっくり味わいながら食事してみましょう。

KIN 161

赤い竜（イーミッシュ）
赤い地球
音5

良い口癖を身につけましょう。波動の高い言葉をできるだけたく
さん使うことを意識してみましょう。

今日は [赤い竜] の「命を育む、大切にする」エネルギーが流れています。
今日の食事は 10 年後の自分の体を作る、と言われていますが、言葉も同
様です。自分が普段使う言葉にも意識して過ごしてみましょう。
具体的には「ありがとうございます、手伝います、一緒に考えましょう、
協力します、きれいだね、かわいいね、楽しいね、ワクワクする」など、
聞いていて心地良い言葉をできるだけたくさん使ってみましょう。
よく、ほめられたり誰かに何かしてもらった時に、「ありがとう」ではな
く「すみません」という言葉を先に言う人がいますが、すみませんは本来、
謝る時に使う言葉です。[赤い竜] の「命を育む」エネルギーが流れる日
に良くない波動のエネルギーを育むことになるので避けましょう。

KIN 162

白い風（イーク）
赤い地球
音6

人への伝え方に細心の注意を払いましょう。
本音で話す、本音で伝えることを意識してみましょう。

非言語について意識してみましょう。人は93％は非言語で伝えている
と言われるくらい、非言語は大切です。非言語とは表情やアイコンタク
ト、ジェスチャーや身だしなみで示す、表現することです。人に会った時、
この人は優しそうとか、怖そうとか判断して、話しかけるのをやめよう
としていることはないですか？　今日は特に笑顔で人と接することをす
る、人と話す時は目を合わせる、あいづちを打つ、人の話を聞く時は腕
組みをしないなど、自分の発する非言語を意識してみましょう。
また、[白い風] も [赤い地球] も共に「伝える」エネルギーがあります。
今日はあなたの本音を伝えましょう。直接会えなくても、伝え方が下手
でも、誠意は相手に伝わります。

KIN 163

青い夜（アクバル）
赤い地球
音7

想像力を持ってシンクロを体験してみましょう。
夢について真剣に向き合っているか意識してみましょう。

今日は同じ言葉がシンクロ（P.19）する2つのものを一緒に体験してみ
ましょう。例えば「レモンを食べながら『Lemon』の歌を聞く」、「『マデ
ィソン郡の橋』を橋の上で読む」「青竹踏みをしながら萩原朔太郎の『竹』
の詩を読む」「バラの花を飾ってバラの模様の服を着る」などです。楽し
んで考え、やってみて、感想や気づいたことも書いておきましょう。
また夢を成就させるためにどれだけ実際に行動しているでしょうか？
例えば歌手になりたいのか、看護師になりたいのかでは最初のステップ
は全然違います。今できる最初の1歩は何か？　そのことを意識して行
動しているか、自分に向き合ってみましょう。

KIN 164

  黄色い種（カン）
赤い地球
音8

地に足をつけることを意識しましょう。
身体に良い食材を補給してみましょう。

[黄色い種] は「地に足を付ける、気づき」のエネルギーが流れています。
今日は自分が毎日食べている食材に目を向けてみましょう。例えば毎日
のように食べるパンは天然酵母を使って、すべての素材が厳選されてい
る物を食べてみましょう。料理に使う食材は自然農法の物を買う、外食
は自然食材を使った店で食事をするなどに気を配ってみましょう。
食べ物にも人と同様に命があります。できるだけ体に良い食事を取るこ
とで、ただ単に健康に良いだけではなく、心の健康（思考）にも影響が
あるのです。
[黄色い種] のエネルギーを簡単に取れるクランベリーを食事やデザート
に取り入れてみましょう。

KIN 165

 赤い蛇（チークチャン）
赤い地球
音9

体を休めることをして過ごしましょう。
何か新しいと感じることを 1 つ試してみましょう。

体を休めるために睡眠をたっぷり取ることを心がけましょう。いつも睡
眠は十分だけれど運動はあまりしていないという方は、簡単にできる踏
み台昇降を 3 分して体を動かして循環を良くしてみましょう。
また [赤い蛇] は「高める」エネルギーと「落ち着かせる」エネルギーと
いう相反するエネルギーを持ち、感覚が鋭くなります。土に触れると神
経を休める効果があるので、天気の良い日は大地に寝転がってみて下さ
いね。「音9」の日は「新しいことに触れる」エネルギーが流れています。
気になっていて試していないことに挑戦してみましょう。今特に何も思
いつかない方は [赤い蛇] のエネルギーを安定させる効果のあるキウイフ
ルーツを食べて、体を労わりましょう。

KIN166

白い世界の橋渡し（キーミー）
赤い地球
音10

人を思いやる心を実際に表してみましょう。
食材の力を借り、体調を整えましょう。

今日は[白い世界の橋渡し]の「橋渡しの」エネルギー、「音10」の「目に見えないものを見える形に表す」エネルギーが流れています。日ごろ、心にあっても伝えられていない家族への感謝の気持ちを手紙に書いてみましょう。言葉では恥ずかしい、照れくさい気持ちがあっても手紙なら伝えることができると思います。書く時は自律神経を整えリラックス効果を促すココアを飲みながら書いてみて下さいね。ココアの香りと味で心を整えてみましょう。自分の体調を整えることは何をするにも大切です。また、[白い世界の橋渡し]の「おもてなし」のエネルギーは心にゆとりがあると発揮しやすくなります。[白い世界の橋渡し]のサポートになる海鮮類、魚介類を取ってエネルギー補給をしましょう。

KIN167

青い手（マニーク）
赤い地球
音11

心と体の全身に刺激を与えることをしましょう。
自分の記憶力を高めることをしてみましょう。

今日は[青い手]の「優しい」エネルギーが流れています。自然が溢れる野外でランチをしてみましょう。家族や友人と一緒に過ごすと、より楽しい時間になりそうです。野外の心地よい風や自然の風景を感じながら食事を全身で味わってみましょう。
雨の日や暑さ、寒さで野外が難しい時は、できるだけ自然の木や花が飾ってあるお店でランチを楽しんで下さいね。
ランチに行けない人は記憶力を高める効果のある蜂蜜を取ってエネルギーを高めましょう。また、好きな趣味を楽しむことをしましょう。好きなことを楽しむと脳内ではドーパミンが分泌され、自然と笑顔になり心身共に充実した時間を体験することになります。

黄色い星（ラマト）
赤い地球
音 12

人の相談に乗ってあげましょう。
「きれい」を連想させることを食事に取り入れてみましょう。

今日は「音 12」の「共有、共存する」エネルギーが流れています。人の
和に積極的に関わることを意識してみましょう。その時のポイントは聞
く姿勢を持つことです。家族でも友人でも職場でも、人の話をじっくり
聞くことを心がけてみて下さいね。この姿勢は後々、自分が困った時に
協力してくれる人が表れる最初の行動です。
また、[黄色い星] の「姿形を整える」エネルギーが流れています。今日
は店構えが完璧にきれいなところで食事をする、提供される料理の盛り
付けが素晴らしい店での外食をするといいでしょう。
また、自分が食事を作る時は、見た目をきれいにするなどでもいいので、
どれか 1 つでも取り入れてみて下さいね。

赤い月（ムールク）
赤い地球
音 13

自分はどのような理想に向かっているか明確にしましょう。
この 13 日間で何かやり残したことがあればやってみましょう。

自分の仕事を今だけでなく、この先の 3 年後、5 年後、10 年後も見据え
て理想に向かって進めているか、確認してみましょう。理想に向かって
いない場合は、状況を変えるために必要な準備をして良いタイミングを
待ちましょう。
今日で [赤い地球] の 13 日間が終わります。仕事や健康について何かや
り残したことがあればやってみましょう。
また [赤い月] の「浄化」のエネルギーを促すために好きな音楽を聞いて
リラックスする、好きなアロマをバスタブに入れるなどをして、この 13
日間の締めくくりをしましょう。FB グループに入っている方はぜひ、投
稿してみて下さいね。

あなたの不調を受け入れる期間

KIN 170 〜 KIN 182

人間関係を築くことを意識してみよう

KIN170 〜 KIN182 までの 13 日間は、特に人間関係で不安や不満に感じていることを改善するための期間です。具体的に日々のエネルギーを生活に受け入れることを意識して過ごしてみましょう。

KIN 170

白い犬（オク）
白い犬
音 1

家族との関係を確認しましょう。
長所を見つめることを意識してみましょう。

家族との関係で改善することはないか確認してみましょう。
[白い犬] には「家族愛」のエネルギーが流れています。大切なことは相手の長所を見ること、相手の価値観や物の見方を否定するのではなく、受け入れる姿勢を持ってみて下さいね。
家族と話をする時はグレープフルーツのアロマを身にまとうことをオススメします。家族愛のエネルギーと調和するグレープフルーツの爽やかで軽く、ほんのり甘いシトラス系の香りは、心を落ち着かせて話をするサポートになります。直接家族と会わない方は電話やメールなどで連絡を取り何気ない会話を楽しみましょう。
今日の出来事やこの 13 日間の目標を書いておきましょう。

KIN 171 ★

青い猿（チューエン）
白い犬
音2

新しい人との交流を楽しみましょう。
新たなチャンスが得られることを意識して過ごしましょう。

新しいコミュニティ、スピリチュアルなセミナーに参加するなどして新しい人との交流を持ってみましょう。[青い猿]には「高い知性や精神性」「物事を楽しむ」エネルギーが流れています。そこには自分を心（魂）から成長させるチャンスがあると意識してみましょう。

人と会話する時は、ユーモアを持つと同時に素直に話を聞く、伝えることをして下さいね。青い花の絵や青い小物を持って楽しいエネルギーを味方につけましょう。

また絶対拡張のエネルギーが流れています。自分がこの先拡げたい人間関係は？　を意識して目標を立てて下さいね。FBグループに入っている方はぜひ今後の目標を投稿して下さいね。

KIN 172

黄色い人（エブ）
白い犬
音3

濃く深い繋がりを持つことを意識してみましょう。
人に対して理解されるより、理解することに心を砕きましょう。

今日は[黄色い人]の「理解する」エネルギーが流れています。徹底的に人を理解する姿勢を持ってみましょう。社会学の研究によると人の繋がりは8つに分類され「親しい友人」「相談相手」「気の休まる仲間」までが深い繋がりで多くて10人、3人いれば十分です。今ではSNSで多くの人と繋がっている方が多いと思いますが、10人を超えると深い繋がりを持つことは難しいでしょう。自分が困っている時に今繋がっている人の中で助けてくれる人がどれだけいるか？　見直してみましょう。

家庭や職場で人と会話をする時は次のことを意識してみて下さいね。「話す早さ、リズムを相手に合わせる」「相手の使った言葉と同じ言葉を使う」「仕草や表情を合わせる」の3つです。

KIN 173

赤い空歩く人（ベン）
白い犬
音4

新しい出会いを意識しましょう。
人のためになることをする、探求してみましょう。

図書館、書店に行って新しい書籍との出合いを作りましょう。[赤い空歩く人] は「空間を探る」エネルギーが流れています。行く図書館や書店の空間のエネルギー、雰囲気を全身で感じながら、できれば人間関係を良好に築く方法が書かれているものを 1 冊読んでみましょう。

本を読む時は [赤い空歩く人] のエネルギーをサポートする「ピンクのバラの花」を飾る、またはローズティーを飲みながら読んでみて下さいね。本から自分の価値観や許容範囲を広げる視点を 1 つ見つけ、書き留めておきましょう。

「音 4 の日」は「探求する」エネルギーが流れています。本の内容から具体的に実践して探求していくことを探してみましょう。

KIN 174

白い魔法使い（イーシュ）
白い犬
音5

両親との関係を見直してみましょう。
中心を定めることを意識してみましょう。

今日は [白い魔法使い] の「受容する」エネルギーが流れています。どんな不満も不安も、まずは受け入れましょう。よくあることですが「どうやったら両親との関係を改善できますか？」「どのようにすれば両親と上手くいきますか？」という改善方法にばかり目を向けると改善することは難しいのです。なぜなら現状を受け止めていないからです。

なぜ今両親と上手くいかない関係になっているのか？ 例えばこんな態度や言葉に苛立つなど、そのことからどう接していくのかを見つけることに目を向けてみましょう。「音 5」の日は「中心を定める」エネルギーが流れています。[白い魔法使い] のエネルギーをサポートするポテトやチーズを食べて、自分の目標設定をするとエネルギーが変わります。

KIN 175

  青い鷲（メン）
白い犬
音6

バランスを考えましょう。
自然体を意識し、自分の時間を使いましょう。

今日は[青い鷲]の「先を見通す、勘が鋭い、心の状態を安定させる」エネルギーが流れています。
人間関係を良好に保つには心の状態がとても大切です。アロマオイルのイランイランのフレグランスは鎮静と興奮のバランスを取り、心の状態を安定させると共に楽しさや喜びの感情を味わうサポートになります。
また人との会話は勘だけに頼らず、よく話し合うことを意識してみましょう。自然体で自分が居られる場所、またはオシャレなカフェで30分から1時間ゆったりと過ごし、3年後の自分の理想の姿、ビジョンを書き出してみましょう。FBグループに入っている方はビジョンを投稿して下さいね。

KIN 176

   黄色い戦士（キーブ）
白い犬
音7

チャレンジ精神を持って現実を受け入れましょう。
本音を打ちあけてみましょう。

自分の弱さやネガティブな部分、恥ずかしいと感じることを家族や友人、親しい人に打ちあけてみましょう。
人はどうしても我慢して言わないことが多いですし、耐えることが美徳とされている風潮がありますが、弱さや恥ずかしさは打ち明けることで人も同じように思っているとわかることもあり、また話すことで、心理的な距離が縮まり、関係性が深まることが分かっています。
自分の嫌な部分を打ち明けることは挑戦でもあります。黒●KINで濃く強い、[黄色い戦士]の「挑戦」のエネルギーが流れているこの日に、勇気を持って親しい人に打ち明けてみましょう。ご褒美に[黄色い戦士]のエネルギーをサポートするお肉を食べて栄養補給をして下さいね。

KIN 177

赤い地球（カバン）
白い犬
音8

体裁より中身を充実させましょう。行き詰っても、何も変わらないと思っても、人に相談してみましょう。

ここ3か月、プライベートで会った人、メールや電話、ラインなどで連絡を取った人とのやりとりを見返してみましょう。
中身を充実させるには自分が日ごろ、どんな人と繋がっているかは大切です。例えば愚痴を言う友人が多いと自分もその仲間であり、逆にいつも前向きで色々なことに挑戦している友人がいれば自分もやってみようかなと思うものです。赤いフルーツが人との距離を縮めてくれます。
「音8」の日は「調和」のエネルギーが流れています。これまでの経験から、人間関係の悩みが改善しなくても人に相談しただけでスッキリしたと言う方も多いです。1人で抱えず家族や友人に相談する、またはカウンセリングを受けてみましょう。

KIN 178

白い鏡（エツナブ）
白い犬
音9

職場でポジティブな言葉をたくさん使ってみましょう。
家族に対して挨拶、礼儀を大切にしましょう。

今日は暗くならず、前向きに明るく過ごしましょう。［白い鏡］は「映し出す」エネルギーが流れています。
職場ではどうしても仕事上、ネガティブな感情や言葉も増えがちになる方も多いかもしれません。しかし、心理学の研究ではポジティブな言葉をネガティブな言葉より3倍以上使っていると幸せを感じるという結果が出ているようです。職場でも家庭でもポジティブな言葉をたくさん使うことはとても簡単にできます。「みんなで力を合わせて頑張ろう、よろしく、手伝うよ」「いつもありがとう」という言葉は、言われても嬉しいですね。挨拶は人間関係を築く最初の会話です。笑顔で明るく、目を合わせることをして挨拶しましょう。これは相手に好印象を与える挨拶です。

KIN 179

青い嵐（カウアク）
白い犬
音10

旅行の予定を立てる、または行ってみましょう。
食事をしながら家族、友人との会話を楽しみましょう。

今日は [青い嵐] の「パワフル、変容、釜戸の神、味覚」のエネルギーが
流れています。自分に変化のエネルギーを感じるために旅行に行く、ま
たは旅行の計画を立ててみましょう。
ポイントは海のある自然溢れる環境への旅です。海に行くと癒されると
いう方も多いことでしょう。海の波の音は人の呼吸とほぼ同じタイミン
グであることも、その理由の１つかもしれません。１日、または半日旅
もオススメです。
また、会話を和やかに導く懐石料理を家族と楽しみ、味について感想や
好みを伝えてみましょう。家族と行けない方は仲の良い友人や同僚と懐
石料理を食べに行き、食事を楽しむ時間を持ってみて下さいね。

KIN 180

黄色い太陽（アハウ）
白い犬
音11

日ごろ、お世話になっている人に感謝の気持ちを伝えましょう。
エネルギーを解放することをしてみましょう。

感謝について意識を向け実際に感謝を表してみましょう。
感謝は大事だと理解されている方も多いと思います。脳科学的にも感謝
の気持ちを伝えると脳内でセロトニン、ドーパミン、オキシトシン、エ
ンドルフィンの４つの幸せホルモンが分泌されます。最も簡単に体（脳）
を癒す方法が感謝なのです。
中でもエンドルフィンは感謝することだけでなく、人から感謝される時
にも分泌されるので、家族や職場の人、友人へ日ごろの感謝の気持ちを
伝えましょう。ありがとうと言われて嫌な気になる人はいません。「音
11」の日はエネルギーを解放することとシンクロ（P.19）します。普段
は照れくさくて言えないことも今日のエネルギーを借りて伝えてみまし
ょう。

KIN 181

赤い竜（イーミッシュ）
白い犬
音 12

短くても人との会話をたくさん持つことを意識してみましょう。人間関係を面倒だと思わないようにしましょう。

今日はできるだけ家族や職場、友人、恋人などと接触を持つ機会を作ってみましょう。人間関係を良好に築くためには、自分の周りの人たちとの会話は欠かせません。特に話すことはない場合でも単なる世間話や些細なこと、天気、その人の服装や装飾について話しかけるなどのことで構いません。一言でも会話をすることを意識してみましょう。

心理学の法則に「ザイオンス効果」というものがあり、人は 1 度に長く会話をするよりも、短くても何度も何度も会話をした方が好感度が上がることが分かっています。職場で話しかけるのは面倒だ、家族に何を話していいか分からない方も「音 12」の「共有」するエネルギーが流れる時にぜひ、会話をして人間関係を構築することを試してみて下さいね。

KIN 182

白い風（イーク）
白い犬
音 13

呼吸を整え、目に見えないものを伝えてみましょう。
キラキラ光るものを持って出かけましょう。

今日は [白い風] の「共感、伝える」エネルギーが流れています。朝は深呼吸と共にこの 13 日間でやり残したこと、これをやってみようと心で感じるものを、実際にやってみましょう。FB グループに入っている方は書き込むことで人との関係を築いてみて下さいね。

人間関係を築く 13 日間は現実と向き合うので抵抗があることもあったと思います。マヤ暦の良いところは、今日できなくてもまた次の日に意識することがあり、今日のエネルギーはまた 260 日後に回ってきます。できなかったことばかりに目を向けず、1 つでもできたことがあれば自分をほめてあげましょう。今日はアクセサリー、ネイルでキラキラするものを身につけましょう。光があるものは明るい波動を呼んできます。

あなたの不調を受け入れる期間

KIN 183 ～ KIN 195

もし、この不満や不安が無ければ……と意識してみよう

KIN183 から KIN195 までの 13 日間は、特に想像力を高める、働かすことを意識しましょう。
また、自分の抱えている不調を受け入れることをしてみましょう。

KIN 183

青い夜（アクバル）
青い夜
音 1

イメージと現実を統一させましょう。
想像することをしてみましょう。

今日は [青い夜] の「夢や目標をイメージする、実現する」エネルギーが流れています。自分の望む姿を生きるために、具体的に夢や目標を絵に描いてみることをしてみましょう。
[青い夜] の日は文字で夢や目標を書くより、インフォグラフィックと言って絵にすることで視覚的に表現を把握することができるため、絵に描くと文字よりも明確に印象に残りやすくなります。
今思いつくことで大丈夫です。頭に浮かんだことを自由に色も使って描くことをしてみましょう。描くのはちょっと難しいと感じる方は、好きな景色や画集、絵を眺めて想像力を膨らませてみましょう。描く時はダラダラ描くのではなく、時間を 10 分、15 分と決めて描きましょう。

 黄色い種（カン）
青い夜
音2

自分の理想の姿について書いてみましょう。
長所と短所をキッチリ分けましょう。

自分の理想とする姿を書いてみましょう。まずは紙とペンを用意して手で書きましょう。今はスマホで書き、ペンを持つ機会が減っている方も多いと思いますが、アナログとデジタルの長所と短所を使い分けることを意識してみましょう。初めは手書きで（アナログ）、ある程度書き出したらスマホでまとめましょう。アナログは手や指が紙に触れ、ペンを持つことでスマホ以上に細かく動かし脳の活性化に繋がるため、最初は手書きをオススメします。スマホは具体的に書き出した理想の姿をいつでも簡単に読み返すことができるため、意識しやすくなります。[黄色い種]の「探求心、覚醒する」エネルギーに合わせ自分の望む姿に熱中する時間を持ち、覚醒をサポートするカモミールティーを飲みましょう。

 赤い蛇（チークチャン）
青い夜
音3

メールチェックは効率的にすることを意識しましょう。
情熱や意欲溢れる心身を意識してみましょう。

今日は毎日使用しているメールの時間に目を向けてみましょう。
メールは量や内容により感情が入るので返信に時間をかけたり、返信を後回しにしていることがあります。メールは見た時に即返信し、1通につき3分以内で返信する、またはメールチェックは1日3回と決める、などをすると、メールチェックの時間が減り有効に使える時間が増えます。すぐに返信できない内容の時でも改めて後日送りますと返信しておくと相手の時間も大切にすることに繋がります。
[赤い蛇] には「情熱、意欲」のエネルギーが流れています。鉄が不足すると情熱や意欲は湧かないので、ほうれん草など鉄分の多いものを食べてエネルギーを補給しましょう。

KIN 186

白い世界の橋渡し（キーミー）
青い夜
音4

色々な人を見て、気づきを得ましょう。
すぐにメモすることを意識してみましょう。

今日はファミレスに行って人間観察をしてみましょう。ファミレスには
ママ友、学生同士、高齢者夫婦、サラリーマンなど、多彩な人たちが訪
れていて想像力を巡らすにはオススメの場所です。サラリーマンは時間
潰しをしてる？　それともサボってる？　高齢者夫婦は奥様が手が不自
由だからご主人が食事を食べやすいように分けているとか、それとなく
観察して人間模様を自分なりに想像して記録してみましょう。
また、例えば朝起きて、夢を見ていたけれど時間が経つにつれどんどん
忘れていくことってないですか？　できれば1分以内にすぐ書き留め
られるよう、気づきをメモできる「気づきメモフォルダー」を準備して、
いつ気づきが降りてきてもいいようにしておきましょう。

KIN 187

青い手（マニーク）
青い夜
音5

想像力を高めるために意識を集中させましょう。
自分の望む目標を書いてみましょう。

想像力を高めるために「落書き」をしてみましょう。落書きをすると右
脳の働きが活発になり、スティーブ・ジョブズや太宰治も落書きをして
想像力を高め、創造性を発揮していたと言われています。
[青い手]の日は手を使うことでシンクロ（P.19）です。手にペンを持ち、
ノートや紙に思いのまま落書きをしてみて下さいね。
思うように書けない方は星や丸、自画像などの落書きをして楽しんでみ
ましょう。のちのち、振り返るのに面白いかもしれません。
また[青い手]には「チャンスをつかむ」エネルギーが流れています。そ
のサポートになるお米と好きなおかずをよく噛んで食べることで脳の働
きを活発にし想像力を膨らませ、目標を書いてみましょう。

KIN188

黄色い星（ラマト）
青い夜
音6

〜〜〜〜〜〜〜〜〜〜〜〜〜〜〜〜〜〜〜〜〜

自分の思い込みに気づき、手放してみましょう。
夢について真剣に向き合っているか意識してみましょう。

〜〜〜〜〜〜〜〜〜〜〜〜〜〜〜〜〜〜〜〜〜

自分勝手な思い込みがないか確認してみましょう。例えば「仕事で注意ばかりされるからきっと嫌われている」「付き合って3か月位は優しかったパートナーが最近素っ気ない態度で愛されていない」など、相手に確認せず、自分で勝手に思い込んでいることはないですか？
相手に聞いてもいない内に勝手に判断していると、どんどん視野が狭くなり[青い夜]の持つ「夢をイメージする」エネルギーとはかけ離れていきます。勝手な思い込みがあれば、それを手放してみましょう。
また夢を成就させるためにどれだけ実際に行動しているか？　例えばカフェを経営したいのか、結婚したいのか、では最初のステップは全然違います。今できる最初の1歩は何か？　自分に向き合ってみましょう。

KIN189

赤い月（ムールク）
青い夜
音7

〜〜〜〜〜〜〜〜〜〜〜〜〜〜〜〜〜〜〜〜〜

新しい流れを作り出すことを意識しましょう。
浄化、休息をして過ごしましょう。

〜〜〜〜〜〜〜〜〜〜〜〜〜〜〜〜〜〜〜〜〜

今日は、今あなたに必要なエネルギーが宇宙から届くと言われているオラクルカードを1枚ひいて、そこに書いてあることを意識して過ごしましょう。オラクルカードはタロットカードのようにひいてメッセージを受け取るものです。書店やスピリチュアル系の専門店などで購入できます。カードを見て直感的に感じたことに従ってみることが大切です。
黒●KINと「音7」が重なる日は「宇宙と繋がる」エネルギーが強力です。大地や空へ向かって、「宇宙さん、私が本来持つ使命を生きるサポートをどうぞよろしくお願いします」と、お願いしてみましょう。
夜は[赤い月]の「浄化」に最適なヒマヤラ岩塩をお風呂に入れ、心身共に浄化しましょう。

 白い犬（オク）
青い夜
音8

直感で今上映されている映画を映画館で鑑賞しましょう。
映画にピンとこない方は美術鑑賞へ足を運んでみましょう。

今日は「音8」の「共鳴」するエネルギーが流れています。映画鑑賞を
して想像する機会を持ちましょう。今気になる映画を鑑賞し、鑑賞後1
時間以内に感想をできるだけ具体的に文章や絵を使って書いて下さいね。
これは後々1年後、2年後に振り返った時に、その時感動した場面を再
び浮かび思い起こすことになります。何を思い、どう感じたのか、感動
や気づきを書いてみましょう。
また映画で見たいものがない方は、直感で気になった美術鑑賞をじっく
りしてみましょう。その際、たくさんある作品の中で特に気になるもの
をじっくり鑑賞し、どこのどんな部分が素晴らしい、どこが気になるなど、
想像を膨らませながら鑑賞し、感想を書いておきましょう。

 青い猿（チューエン）
青い夜
音9

ひらめき体質を準備しましょう。
お金の出入りを意識してみましょう。

今日は[青い猿]の「ひらめき、アイデア」のエネルギーが流れています。
ひらめきはリラックスしている、またはボーっとしている状態で降り注
ぐことが最新の脳科学で明らかになっています。
電車やバスの移動中、入浴中、寝る前は何もせず、ボーっとする時間を
過ごしましょう。スマホを使ってる方も多いと思いますが、上記の場面
では使わず脳を休めましょう。
「音9」の日は「ワクワク、新しいもの好き」なエネルギーが流れていま
す。つい衝動で買い物をしてしまいがちですので、お金を払う前に、本
当にこれが必要な物かどうか、自分の心に聞いてから払うことを心がけ
てみて下さいね。

KIN 192

黄色い人（エブ）
青い夜
音 10

文字に思いを込め、ビジョンを書きましょう。
経験とは関係なく自由に理想をイメージしてみましょう。

今日は [黄色い人] の「道、こだわる、感動」のエネルギーが流れています。自分の夢や目標を実現するために具体的なビジョンを描いてみましょう。ビジョンとは自分が実現したい理想の姿です。私のビジョンは「マヤ暦という宇宙の流れや自然のリズムをベースに体力だけでなく心力をつけ心身共に健康な人を増やすサポートをしたい」です。ビジョンは共有すると多くの人から応援して頂き、支え合う関係を築いていくことができるようになります。今ある不満や不安、今までの自分の経験からではなく、「何も制約がないとしたら」という前提で、未来の理想の姿を書きましょう。[黄色い人] のサポートとなるほうれん草とオリーブオイルを使った料理を食べてエネルギーをチャージしましょう。

KIN 193

赤い空歩く人（ベン）
青い夜
音 11

当たり前から気づきを得ることをしてみましょう。
空間を整え、自分を解放してみましょう。

何気なくしていることに意識を向けてみましょう。
[赤い空歩く人] は「愛と光を分かち合う、空間を大切にする」エネルギーが流れています。例えば普段当たり前にしている「おはようございます」という挨拶はなぜするのか？　そう考えると、挨拶をするとその場が良い波動や空間になり、気分が良いことに気づくでしょう。これが分かると挨拶は当たり前ではなく、もっと良い波動を伝える挨拶は？と思考が変わっていき、想像力を高めることに繋がっていきます。
また空間を整え自分の気持ちを解放するセルフケアとして、自宅で使うティーカップ、コースターを新しい物に変えてみて下さいね。

KIN 194

白い魔法使い（イーシュ）
青い夜
音 12

自分に合う学習法を見つけましょう。
自然と共有する時間を持ちましょう。

自分の想像力の限界に目を向けてみましょう。例えば勉強する時、聴覚型、
視覚型、実践型なのかで、学ぶ基本姿勢は違います。
聴覚型の方が視覚型での学びを始めると上達するまでにとても時間がか
かります。効率よく自分に適した学びは、頑張らず無理なく学びを進め
やすくなります。
「音 12」の日は「問題を解決する」エネルギーが流れています。不満や
不安を解決するために [白い魔法使い] のサポートとなる白いユリの花を
1 輪飾り、心を和らげましょう。ユリを飾る時はユリの花を 360 度すべ
ての角度から見て「ここがきれい、良いなぁ」と思った場所を楽しみま
しょう。

KIN 195

青い鷲（メン）
青い夜
音 13

自問自答し、チャンスを掴み取る姿勢を意識しましょう。
やり残したことを仕上げましょう。

今日は [青い夜] の 13 日目です。この 13 日間でやり残したこと、振
り返ってやってみようと思うことがあれば仕上げることをして下さいね。
FB グループに入っている方は 13 日間を振り返り、感じていることを投
稿して下さい。自分の本当に望む姿は？　と常に自分に問いかけること
が大切です。アインシュタインは「大切なことは自問自答し続けること
である」と言っています。キリスト、孔子、ソクラテスなど、多くの先
人達は自分と向き合うことをとても大切されていました。チャンスとは
常に自分と対話し続けているからこそ掴むことができるのかもしれませ
ん。今自分が向き合うことは何か？　自問自答の中から探ってみましょう。
今日は [青い鷲] のサポートとなるアメジストを身に付け過ごしましょう。

150

あなたの不調を受け入れる期間

KIN196 〜 KIN208

チャレンジすることを意識してみよう

KIN196 〜 KIN208 までの 13 日間は特に KIN157 〜 KIN195 の 39 日間の中でやり残したことを振り返り、積極的に実践する、挑戦する、吸収することを意識して過ごしてみましょう。

KIN196

黄色い戦士（キープ）
黄色い戦士
音1

新しく挑戦することを始めてみましょう。
大股で大胆に歩いてみましょう。

今日は小さな 1 歩を意識し、新しく挑戦することを始めてみましょう。
[黄色い戦士] は「大胆、挑戦する」エネルギーが流れています。大きな 1 歩を踏み出すと続けていくことが難しいので「簡単にできそうな新しいこと」がポイントです。
例えば料理好きの主婦が飲食店を経営することはどうでしょう？　失敗したら、借金したらどうしようなど、不安が出てくると人は挑戦することをためらいます。挑戦する時はまず、主婦で実際飲食店を経営している方を探すのが最初の小さな 1 歩です。
何も思いつかない方は、大胆にいつも以上に少し大股で歩くことを意識して今日 1 日は過ごしてみて下さいね。

KIN 197

赤い地球（カバン）
黄色い戦士
音2

普段当たり前の日常に埋もれているメッセージに意識を向けましょう。リズムを感じることをして過ごしましょう。

今日は立て続けに出てくる同じキーワードに注意を向けてみましょう。例えば「ドイツ」に関することに違う場所や場面で何度も遭遇した、など、不思議な経験ってないですか？　それは偶然ではなく、何か自分にとって大切なメッセージであるととらえてみましょう。

私は4年前、立て続けに「出版、作家」ということを人から、師匠から、そしてセミナーで聞き、書き留めていました。

今日とても気になる単語を書き留めてみて下さいね。日記をつけている方は同じようなキーワードがここ3か月でないか調べてみましょう。

また [赤い地球] は「リズム」のエネルギーが流れています。リズム感の良い音楽を聞いて過ごしてみて下さいね。

KIN 198

白い鏡（エツナブ）
黄色い戦士
音3

1日の出来事を記録してみましょう。
内面を修正することを意識して過ごしましょう。

夜、内省時間を5分持ち、日記を書いてみましょう。1日を振り返ると朝から夜まで色々なことがあったはずです。日記の質や量には関係なく、「書く」ことで自分のものの考え方、客観性、長所や短所に気づく力がついてきます。これは心力をつけることであり、心力が身に付くとストレスの強い環境にも上手く対応していく力がついてきます。1日たった5分で心力がつき、メンタルが強くなっていきます。

また [白い鏡] は「スピリチュアル、映像」のエネルギーが流れています。YouTube でスピリチュアルと検索してヒットした動画の中から気になったものを1つ見て内面を整えることをしてみましょう。FBグループに入っている方はどんな動画を見たか、投稿してみて下さいね。

青い嵐（カウアク）
黄色い戦士
音 4

メリハリをつけ決断する癖をつけましょう。
ご褒美を用意し、楽しみましょう

普段、色々と迷って決断までに時間がかかることがあると思います。今日は、ぜひワクワクする方を選ぶことを意識してみましょう。ワクワクすると人の脳内ではドーパミンが分泌され能率が上がるので不満や不調の改善に有効です。
[青い嵐] は「パワフル、巻き込む」エネルギーが流れています。今日は直感で決めて正解です。ランチメニューや買い物など、迷った時は直感で決めてみましょう。
「音 4」の日は「極める、探求する」エネルギーが流れています。昨日ではなく明日でもなく「今日」やることに集中してみて下さいね。1 つできたら甘い物、お酒、欲しかった物をご褒美として自分にあげましょう。

黄色い太陽（アハウ）
黄色い戦士
音 5

思い通りにならない時は魂を磨く時と受け止めてみましょう。
目標を心に刻みましょう。

今日は今の不満、不安から学べるということに気づきましょう。
現在不調を受け入れようと挑戦していることがあって、なかなか成果が出ないとしても、行動を止めないようにしましょう。
例えば本を読んで新しい情報を知っても、それを実際身につけ、心と体に落とし込むには熟成期間が必要です。
今は吸収の時期です。少し刺激の強い新鮮で甘い香りのゼラニウムが、[黄色い太陽] のエネルギーをサポートし、不満や不安を改善へと誘導してくれるでしょう。
[黄色い太陽] は「南」の方角が開運です。南の方を向いて [黄色い戦士] の残り 8 日の目標を 1 つ書き出してみましょう。

KIN 201

赤い竜（イーミッシュ）
黄色い戦士
音6

優先順位をつけ、物事を処理しましょう。
コミュニケーションに意識を向けましょう。

優先順位をつけて行動することを意識しましょう。例えば登山に行く時は登山に必要な物を準備してから出発します。何も準備せず普段着で行く人はいません。やりたいことが分からない方は自分の心と体の望む方向が同じか？　心と体の声に耳を傾けているか？　深呼吸をして確認してみましょう。
[赤い竜]、[黄色い戦士] はどちらも「コミュニケーション能力が高い」エネルギーが流れています。自分や身の回りのコミュニケーションに関する物に意識を向け、普段使用しているスマホ、パソコン、テレビなど、電化製品を徹底的にきれいにしましょう。きれいにしたあとは気持ちを落ち着かせるレモンティーを飲みましょう。

KIN 202

白い風（イーク）
黄色い戦士
音7

素直に伝えることをしましょう。
感性を鍛えることをしてみましょう。

自分の知っている情報を人に伝えましょう。具体的にはオススメの美味しいランチのお店、オススメのケーキセットなど、美味しい食べ物情報を話してみて下さいね。その時「こんな理由でオススメ」「こんな理由で美味しい」という感想を伝えることを意識してみましょう。
感想を伝えるとその理由には自分の個性が見えるので、人はまたあなたの話に耳を傾けてくれるようになります。
また [白い風] は「感性、繊細」なエネルギーが流れています。3分深呼吸をする時に心の中で1、2とカウントしながらやると、心身がリフレッシュし感性が高まる作用があります。

青い夜（アクバル）
黄色い戦士
音 8

想像力を高めてみましょう。
夢をイメージしてみましょう。

今日は想像力を高めるために、自由に空想をして楽しむ時間を持ってみましょう。
例えば「大きな木がもし家の中にあったら」「パソコンがもし体の中にあったら」というあり得ないような空想をどんどんしてみましょう。「もし○○なら……」を楽しんで、紙に書いてみましょう。絵を描ける方は描いてみて下さいね。
[青い夜] は「夢を実現する」エネルギーが流れています。くだらない、どうしようもないと思うことでも、色々と想像を巡らすことが想像力を高めることに繋がりますので、好きなように遊んでみましょう。想像をしたあとは [青い夜] のエネルギーをサポートする抹茶ラテを飲みましょう。

黄色い種（カン）
黄色い戦士
音 9

柔軟性や楽観性を意識して黙々と何かに取り組みましょう。
外に出ることを意識しましょう。

今日は [黄色い種] の「気づき」と、「音 9」の日の「明るく、元気づける」エネルギーが流れています。雑誌や新聞を読んで気になる記事をカットして取っておきましょう。のちのち役に立つかもしれません。
また、外に出るとシンクロ（P.19 参照）です。できれば自転車に乗って、風を切って走ってみましょう。走りながら周りの景色を見て気になったことを記録しておきましょう。
雨や体調不良などで外に出られない場合は部屋で柔軟性や楽観性をサポートするオレンジ系のアロマの香りを焚いて自分を包んでみましょう。
今日の出来事、気づきは特に書き留めておいて下さいね。

KIN **205**

赤い蛇（チークチャン）
黄色い戦士
音 10

欲を持って意欲的に過ごしてみましょう。
無理、難しいと思うことにも積極的に挑戦してみましょう。

今日は [赤い蛇] の「情熱」のエネルギーに合わせ、ことわざにある「二兎を追う者は一兎をも得ず」の逆を意識し「これは無理でしょう」「難しい」と思うことを、2 つ同時にやってみましょう。
例えばユニクロはヒートテックという商品を生み出し、「低価格」と「高品質」の両方を合わせ持つ商品を作ることは無理だと言われていた壁を破りました。介護と育児、家事と介護、抱えている案件 2 つ同時にこなすことは無理と思うかもしれませんが、それを同時に 2 つこなすことを意識するだけで、今日はエネルギーが高まります。
[赤い蛇] のサポートになる果物のベリーを食べてエネルギー補給をしてみて下さいね。

KIN **206**

白い世界の橋渡し（キーミー）
黄色い戦士
音 11

新しい出会いを意識してみましょう。
想像力を高めるためにエネルギーを解放しましょう。

自分が普段過ごす環境を積極的に変え、新鮮に感じる場所、行ったことがない話題のスポットへ出かけてみましょう。
そして「繁華街の外国人の割合」「ミナミのファッション」など、自分なりにテーマを持って人や店、物を見て過ごしてみましょう。アクティブに刺激を感じることをしてみましょう。
[白い世界の橋渡し] は「橋渡し、カサブランカの花」のエネルギーが流れています。白い紙とペンを用意して何でもいいので書くことをしましょう。書くと脳が活性化されます。また、カサブランカの花は想像力を高める効果があります。1 輪部屋に飾ってみましょう。

KIN **207**

青い手（マニーク）
黄色い戦士
音 12

考えるだけでなく実際体験することをしましょう。人の気持ち
を理解するために想像を繋げることを意識しましょう。

今日は「百聞は一見に如かず」と言うように、実際に体験してみること
を意識してみましょう。今までに 100 回学びをしても実際には 1 つも実
行に移さないというのでは、何も変わりません。自分で体験して確かめ
ることを意識してみて下さいね。
私は昔、ピアノを習っていた時に有名なピアニストの CD を毎日聞いて、
音が優しい、楽しい音だなぁと思っていましたが、その方のコンサート
に初めて行った時、仕草やパフォーマンスを目の当たりにして、あの仕
草が優しい音になるんだぁ、このパフォーマンスは楽しい音を表現して
いるんだぁと感動しました。[青い手] の「体験」のエネルギーを「音
12」の「共有」のエネルギーに合わせ、想像を現実に繋げてみましょう。

KIN **208**

黄色い星（ラマト）
黄色い戦士
音 13

非日常を味わうことを意識してみましょう。
手放すことに気づきましょう。

今日は「98 : 2」を意識することをしましょう。例えば、100 人いたら
98 人が選ぶ方ではなく、残り 2 人が選ぶ方を意識してみて下さい。仮に
宝くじを買う時に 5 時間半並ぶとしたら、98 人は行かなくても、実際に
行く人が 2 人はいるでしょう。この 2 人がやるような普通はしない「概
念を超える」ことをすると想像力が豊かになりますよ。
[黄色い星] は「思い込みを手放す」エネルギーが流れています。この不
安は手放せない、これは諦めきれないということもあるかもしれません
が、[黄色い星] のサポートになるイチゴやチョコレートを食べて、手放
すことをしてみましょう。この 13 日間を振り返り、やり残したことをや
ってみましょう。

体験された方のお声＆これからの
時代に欠かせない心力をつける習慣

　例えばあなたは「あの人はピアノが上手くていいなぁ、あんな風に弾けたら人生変わるのに」と思いますか？　ピアノに興味がない方は、特に思わないと思います。ですので、あなたがこの人素敵だなぁ、憧れるなぁということに注目してその日のサポートを使いながら行動に繋げてみて下さいね。

　人が行動を起こす時は心のフックに何か引っかかる時、響いた時、感動した時ではないかと思います。

　どれだけ頭で良いと理解していても、心に響かないと行動には繋がりにくいです。日々のメッセージから「これは良いかも」「やってみよう」と感じた小さなことを実践していくことがいかに大切か、寄せられた体験談にも表れています。

「食材を自然の物に変えて体調が改善され、やる気が出て自分の望むことが見つかった方（40代女性主婦）」

「物の見方を変えたら新しい可能性が開けた方（40代女性　会社員）」

「花を飾ることを生活に取り入れて人間関係が改善され人から自分の望む方向へ導いてもらった方（40代女性　自

営業）」

「朝晩ホロンワーク、深呼吸をするようになってから進む
方向が明確になった方（40代女性　主婦）」

「自分に問いかけることを続けたら、悩みが次々と解消し
て望むことに気づいた方（40代女性　主婦）」

　私自身、本来望むことを思い出し、そこに向かって結果
を意識するのではなく毎日の食事や自然に触れること、自
分に問いかけることを楽しみながら日常に取り入れたおか
げで、病を克服し、体だけでなく心も健康に近づき、やる
気が自然と湧いてくる毎日を送らせて頂いてます。

　人の細胞は3か月、血液は4か月、骨は約3年〜5年
で生まれ変わることが医学的に証明されています。同様に
人の心も3か月続けると何かが生まれ変わります。私の
クライアントさんはほぼ1年〜3年位で9割の方が劇的
に変化され、私も含め病院に行くことがなくなった方、通
院頻度が減っている方が多く、心が健康になると体にも影
響を及ぼすことになるのだと確信しています。

　2014年以降、50人以上の従業員がいる企業では「ス
トレスチェック」が義務付けられています。しかし、
2012年以降、精神疾患で労災補償を請求した人は年々増
加し、平成30年度1820件と前年比88件増となりました。
（「労働基準局2019年厚生労働省発表「平成30年度「過
労死等の労災補償状況」より）

また、「働き方改革」により、今後は時代の変化とともに、副業を始めたり、複数の仕事を同時に実行することも可能となりました。自分の健康は、自分で管理することがますます求められる時代になります。健康を維持するためにも、毎日でなくてもこれなら長く少しずつでも続けていけることをこの本の中で見つけてもらえると嬉しいです。

　40歳を過ぎると、女性は特に体の変化も徐々に起き、家族や周りの人に合わせることも増え、体調が優れない、気持ちも閉鎖的になってしまい、いつしか「自分が本当に望むことは何だったのか？」忘れてしまうことも多いように思います。自分の本当に望むことは何か、このタイミングで向き合って、「心力」をつけるきっかけとなれば嬉しく思います。

KIN 209
~
KIN 260

緑

― あなたの不調を調合する52日 ―

KIN209 ～ KIN260の最後の52日間は、これまでの日々のメッセージの中から気づいたことを調合する期間です。「調合する」とは、自分の不調や不安、不満などを良く知り、受け止め、自分の相棒である心と体とともにプラスの生き方に考え方を変えていくことです。これまでの起承転結の208日間で体験したことを整理し、再スタートに備えましょう。208日間の疲れを癒すため、自分本来の姿に戻り、すべてを洗い清める52日間でもあります。

カレンダー内のマークの見方
● 印がある日 = 「黒KIN」と呼ばれる日。とても強いエネルギーが流れる日。
★ 印がある日 = 「絶対拡張の刻印日」と呼ばれる日。この日は「物事が拡がる日」。
◆ 印がある日 = 「極性KIN」と呼ばれる日。1つの事を極めると良い日。
　　　　　　　※詳しくはP.12「本書の読み方」を参照してください。

あなたの不調を調合する期間

KIN209 〜 KIN221

自分の不調、不安、
不満を見極め浄化を意識しよう

KIN209 〜 KIN221 までの期間は特に自分自身を浄化すること
を意識して過ごしてみましょう。この 13 日間は、日々の暦に
合わせて、様々な浄化方法をお伝えします。ぜひ取り入れて
みてください。また、自分の心と体にしっくりくるものがあ
れば、今後も続けていくことをオススメします。

KIN
★
209

赤い月（ムールク）
赤い月
音1

自分自身を浄化することをしましょう。
何か 1 つは決めたことを実行しましょう。

今日は [赤い月] の「浄化、水の力、新しい流れを作る」エネルギーが強
く流れています。自然の力を借りて浄化することをしてみて下さいね。
例えば緑の多い公園や山、広い海や湖、マイナスイオン溢れる滝、川など、
自然溢れる環境に身を置くことで浄化促進されます。その際のオススメ
は電磁波の出る機器を持ち歩かないこと。携帯の電源は切っておきましょ
う。たまには携帯を見ない時間を持ってみるのも面白いかもしれません。
時間的に上記の場所へ行けない方は、赤い月のサポートになるアプリコ
ットローズを部屋に飾る、自分の大好きな音楽を聞く、などして浄化し
てみて下さいね。今日の気づき、この 13 日間の目標、拡げたいことは書
いておきましょう。

KIN 2IO

白い犬（オク）
赤い月
音2

断捨離を心がけましょう。
何か１つは実際やってみましょう。

家中をきれいに整えることを意識してみましょう。実際に掃除できる方
はリビングや寝室など、掃除機だけでなく、できれば拭き掃除もして、
できるだけ徹底して掃除をしてみて下さいね。
また難しい方は１つ自宅で不要な物を捨てる、もしくはデスク回りを片
付け浄化に良いハーブのセイジや、クイントエッセンスのセラピスベイ
などの香りを吹きかけましょう。自分が癒される好きな香りを使って下
さいね。昨日花を飾った方は、お水を替えることをお忘れなく！
[白い犬] のサポートになる食事に「お鍋、根菜」があります。すき焼き、
寄せ鍋、湯豆腐、水炊きなど、野菜たっぷりのお鍋料理を食べ、浄化促
進に役立てましょう。

KIN 2II

青い猿（チューエン）
赤い月
音3

神社仏閣へ足を運んでみましょう。
楽しむ時間を持つことをして過ごしましょう。

今日は [青い猿] の「神社仏閣巡り、ワクワク楽しむ、閃きやアイデアが
湧く」エネルギーが流れています。近くの氏神様や好きな神社仏閣へ足
を運んで浄化してみましょう。自分の状況に合わせて、１年の感謝や平
穏無事を祈る、今抱えている不調を吐き出す、不調を抱えながら生かさ
れていることに感謝するなどしましょう。[青い猿] の日に神社仏閣へ足
を運ぶと、アイデアや気づきをもらえる機会に恵まれることが多いです。
お出かけの際は玄関に靴を出しっぱなしにせず片付け、きれいな状態で
外出しましょう。私たちも朝起きて顔を洗いますよね？　玄関は家の顔
です。また写真で神社仏閣を見る、スピリチュアル本を読んで知らない
分野について見識を深めることでアイデアが湧くサポートになります。

黄色い人（エブ）
赤い月
音4

身の回りを整えることを意識してみましょう。
光に触れる時間を持ってみましょう。

風通しを良くすることを意識して過ごしましょう。人も水も空気も、滞っているとエネルギーの流れも悪くなります。夜寝る前に今日使ったすべての水回りの水を1分程流して、できるだけ清潔に保ちましょう。
寒い、暑い時期も1日1回、2か所の窓を開けて部屋の空気を入れ替えてみましょう。難しい場合は換気扇を回すだけでも大丈夫です。
またシャッターやカーテンを開けて光を取り入れることもしてみましょう。治安もあるので注意は必要ですが、できれば寝る前はカーテンを開けたまま寝て、朝の光で起きることを習慣にすると体が自然と目覚めるようになります。[黄色い人] のサポートとなるジャスミンの香りで空間を整えてみて下さい。

赤い空歩く人（ベン）
赤い月
音5

様々な浄化法を試してみましょう。刻印（目標の設定）に良い日です。目標を決めて人に話してみましょう。

玄関に盛り塩をする、お風呂に粗塩を入れる、塩を振りかける、日光浴、月光浴、ヒーリングミュージックを聞いて浄化をしてみましょう。
朝日を5分浴びる、夜寝る前に5分瞑想することで1日の始まりと終わりを整えることを意識してみて下さいね。
[赤い空歩く人] は「珍しいこと」に縁があるエネルギーが流れています。
普段目にしない、触れない不思議な体験を意識してみましょう。例えば
[赤い空歩く人] のサポートとなる食用花を食べてみてはいかがでしょう。
「音5」の「中心を定める」エネルギーが流れています。定めただけでは広がらず、実際何か始めることが大事です。FBグループに入っている方は投稿することで人の目に触れ、実現する流れに繋がりやすくなります。

KIN 214

白い魔法使い（イーシュ）
赤い月
音6

自分の内側を清めましょう。
身も空間も整えましょう。

今日は清酒で自分自身を清めることをしてみましょう。
「お神酒」という言葉があるようにお酒は神様に捧げ、神様の力で不要な物を祓う浄化方法です。
浄化は掃除やお参り、入浴など、外側のことが多いようですが、お酒は内側から祓うことができます。たくさん飲む必要はなく、一口含み、神聖なエネルギーが内側に入っていくイメージを持ちながらお酒を飲んでみましょう。[白い魔法使い] は「受容」のエネルギーが流れています。身も空間も浄化し許容範囲を広げてみましょう。お酒を飲めない方は、家の中の北の方角にお酒をコップに 1 杯入れて置き、空間を浄化しておきましょう。しばらくして表面がカビかかってきたら捨てて下さいね。

KIN 215

青い鷲（メン）
赤い月
音7

現状を突破するために新鮮味を持ちましょう。
「一寸先は闇」ととらえてみましょう。

普段やらないことに挑戦してみましょう。例えば事務仕事の人はアーティストや物作りをしてる人と会う、または本や雑誌でまったく違う分野の職業の人を調べ、気になったことを 1 つメモしておきましょう。
また [青い鷲] には「心の状態を保つ」エネルギーが流れています。目標を立てても予定通り進むこともあれば進まないこともあるのが宇宙の法則であることを心に止めておきましょう。
想定外のことが起きても心の状態をできるだけ保つために役立つアメジストを身につけて過ごしてみて下さいね。そして夕食には、[青い鷲] のサポートになるサーモンを食べて 1 日を締めくくりましょう。

216

黄色い戦士（キーブ）
赤い月
音8

柔軟性を持って物事に取り組みましょう。
苦手なことにあえて挑戦してみましょう。

今日は KIN209 ～ KIN215 までの間で苦手意識があったこと、躊躇して
できなかったことをやりましょう。
[黄色い戦士] は「自己との戦い、挑戦」のエネルギーが流れています。
苦手なことも時のエネルギーを借りて挑戦してみることで、意外と苦手
じゃないと気づくこともあります。
「音 8」の日は「人や物、自然、動物と調和する」エネルギーが流れてい
ます。人と接する時、話す時は、オレンジのフレグランスが調和をサポ
ートしてくれます。
今日は [黄色い戦士] の最強サポートとなる「肉じゃが」を食べて自分に
パワーとご褒美をあげて下さいね。

217

赤い地球（カバン）
赤い月
音9

細かいところに意識を向け、何か１つは守りましょう。
人の話に耳を傾けましょう。

今日は瞑想する時間を作ってみましょう。[赤い地球] の「共鳴する」エ
ネルギーは、「今を生きる」ことにシンクロ（P.19）です。瞑想は軽く目
を閉じ「今・ここ」を意識し、呼吸に意識を向けることで心身が癒され
ていきます。５分間深呼吸をする、ホロンワーク（P.24）をして自分の
頭～足のつま先まで体に意識を向ける時間を持ってみましょう。
また「音 9」の日は「傾聴」のエネルギーが流れています。瞑想で自分
自身の声を聞く、もしくは瞑想についての話を動画などで聞いてみるこ
とをしてみましょう。
[赤い地球] のサポートになる生姜湯、生姜焼き定食を食べて体を温めま
しょう。

KIN 218 白い鏡（エツナブ）
赤い月
音10

気の浄化を意識してみましょう。
育むことを始めてみましょう。

天然素材のアロマのホワイトセージや、浄化に効果があるスピリチュア
ル系のお店にあるクイントエッセンスのセラピスベイを使って気の浄化
をしてみましょう。[白い鏡] は「時間を超越、映し出す、離す」エネル
ギーが流れています。好きな香り、もしくは浄化に効果のあるアロマを
手に数滴つけ、体全体をその手で覆い、アロマの香りで全身を包み込み、
最後に鼻から香りを体内へ取り込んで下さいね。不調をすべて祓う気持
ちで全身を香りで包み込んでみましょう。
また「音 10」の日は「まだ芽が出てないものを育てる」エネルギーが流
れています。観葉植物やラン科の花を育ててみましょう。植物を育てる
と自分のまだ気づいていない能力を発揮させるサポートになります。

KIN 219 青い嵐（カウアク）
赤い月
音11

自然や人に任せてみましょう。
エネルギーを解放することを意識しましょう。

自分の不調を自分で何とかしないといけないと思うものの、なかなか解
消されない、という時は、自然や人の力を借りて解消する方法も試して
みて下さいね。
[青い嵐] は「巻き込む、改善する」エネルギーが流れています。今日は
音叉で浄化してみましょう。音叉はある特定の周波数の純粋な音を奏で
るため、癒しや浄化を促進させる効果があり、医療やカウンセリングで
も使用されています。自分で音叉を購入して奏でるのも良いし、3 分程
度で浄化し癒す音叉動画もあります。検索してみてくださいね。
また「音 11」の日は「解放する」エネルギーが流れています。デザート
に邪気を払い魔除け効果のある桃を食べて下さいね。

黄色い太陽（アハウ）
赤い月
音 12

光に触れる時間を持ちましょう。
明るいと感じる場所へ行きましょう。

[黄色い太陽] は「大地を照らす、輝く」エネルギーが流れています。今日は少し広めの公園や畑、行ける方は山へ登ってみましょう。地に足を付け大地をしっかり歩くことを意識するだけでもシンクロ（P.19）です。気候にもよりますが、裸足で畑や土の上を歩ける方はやってみて下さいね。また「音 12」の日は「人と共有する」エネルギーが流れていますので、友人を招いて食事をしてみて下さいね。[黄色い太陽] のエネルギーをサポートする「ヒマワリ」を飾って場の空気を明るく演出してみましょう。できない方は明るい雰囲気のお店やイエローの装飾があるお店、または「黄色い太陽」をサポートするカレーライスを食べて家族や友人との時間を楽しみましょう。

赤い竜（イーミッシュ）
赤い月
音 13

原因はすべて自分の中にある、心の在り方が大切な日です。
直感力を研ぎ澄ませましょう。

今日はこの 13 日間でやり残したことをしましょう。様々な浄化方法をお伝えしましたが、繰り返し続けることで効果を体感するはずです。
[赤い竜] は「命を育む」エネルギーが流れています。毎日食事をし睡眠を取るように、今日意識すること、実際に行うことで少しずつ命が育まれていきます。どの浄化方法が気になりましたか？　「音 13」の日は「仕上げる、振り返る」エネルギーが流れています。このタイミングで振り返り、どれか 1 つでも試してみて下さいね。ご褒美に [赤い竜] のサポートとなる苺を食べてエネルギーを注入しましょう。
FB グループに入っている方は、ぜひこの 13 日間の出来事を投稿して下さいね。

あなたの不調を調合する期間

KIN 222 〜 KIN 234

不安、悩みと一緒に
生活していくことを意識しよう

KIN222 〜 KIN234 までの 13 日間は特に精神性、霊性を整えることを意識して過ごしてみましょう。まずは、今心で抱えている不安や悩みに振り回されないことを目標にしましょう。

白い風（イーク）
白い風
音 1

共感を意識して過ごしましょう。
精神面に重きを置く日です。

今日は不調にとらわれ前に進めない自分がいないか、不調を引きずっていないか、自分自身に向き合ってみて下さいね。どちらも自分と向き合っていないことから起きています。こんな時は人に話して客観的な視点を持つと改善するきっかけになります。

不調をただ引きずっていても何も変わりません。「今の不調は一体何のために感じているのか？」それは、変えるべき何かに向き合うために起きているのだ、ととらえましょう。順調な時、人は何とかしようとは思いません。不調が起きている時だけが、気づきを得るためのあなたへのプレゼントなのです。[白い風] のサポートになるグレープフルーツの香りが自分と向き合う後押しになります。

KIN **223**

青い夜（アクバル）
白い風
音2

日課が自己肯定感を高めることを知りましょう。
地道な努力を怠らないようにしましょう。

自分の日課としていることを確認しましょう。
私は本書の中でも再三書いていますが、深呼吸や自分自身への問いかけ、
ホロンワーク（P.19）やサポートになる自然素材の食事、植物や天然素
材のアロマを使うことを日課としています。特に大きなことではないで
すが、これをしていると「大丈夫、宇宙がサポートしてくれている」と
いう大きな安心感に包まれ、自己肯定感を高めることに繋がります。
継続しているのに不調が改善しないと、何か違う方法を求め、やめる方
も多いと思いますが、不調な時ほど、継続していくことが大切です。
[青い夜] は「イメージする」エネルギーが流れています。[青い夜] の
サポートになる和菓子と抹茶がイメージの手助けになります。

KIN **224**

黄色い種（カン）
白い風
音3

自分の思考や感情と向き合いましょう。
心に適度なストレスを持ち、鍛えましょう。

自分の周りにいる家族、友人、職場の人からの影響を、自分の思考や感情、
価値観に取り込んでしまっていると、不調を作り出してしまいます。今
日は手紙を書く、アートに触れることで、本来の自分の姿と向き合う時
間を持ちましょう。展覧会や美術館で絵ハガキを 3 枚買って 1 枚は自分
で部屋に飾り、あとの 2 枚は友人へ送りましょう。
[黄色い種] は「目覚め、気づき」のエネルギーが流れています。適度な
心の負荷は、精神性を高めるためには欠かせません。実現可能な目標を
立てましょう。ちょっと頑張ったらできることがオススメです。「音 3 」
の日は「繋ぐ、尽くす」エネルギーが流れています。[黄色い種] と [白
い風] のサポートになる豆類を食べて自分と向き合う力を繋ぎましょう。

KIN  225

 赤い蛇（チークチャン）
白い風
音4

内面の立て直しをはかる日です。
純粋に好きなことに向き合いましょう。

今日は不安に向き合いましょう。精神医学では不安は「対象のない恐れの感情」と言われています。
例えば好きなことが見つからない不安は「見つかってもそれで生計を立てられるのか、それをやってどうするの？　何も身にならず時間とお金を損するかも」と、好きなことが見つかる前からその先の不安を先に考えたりしていませんか？
[赤い蛇] は「情熱、蘇らす」エネルギーが流れています。人は情熱を感じていると不安を感じている暇がないくらい、前進することができます。自分が情熱を持てることは何か？　自分に向き合ってみましょう。[赤い蛇] のサポートになるユリの花を飾って不安の感情を和らげましょう。

KIN 226

 白い世界の橋渡し（キーミー）
白い風
音5

今やるべきことをスモールタスクで明確にしましょう。
メリハリをつける日です。

自分の本来望む姿を生きるためにどんな行動をしているか、明確にしてみましょう。明確にすると１つ１つの行動に納得して行動することができるからです。
例えば歌手になる夢があると、発声練習、体幹トレーニング、歌の練習など、毎日やる行動１つ１つが明確になります。
[白い世界の橋渡し] は「手放す、繋ぐ」エネルギーが流れています。家中の照明や電気をきれいにして空間の気を整えましょう。
夜は明日の行動をスムーズにするために、明日やることの準備をして休みましょう。例えば明日の朝食の下準備する、明日必要な持ち物、着る服を準備して眠る前にセットしておきましょう。

KIN 227

青い手（マニーク）
白い風
音6

熱中して面倒なものに挑戦してみましょう。
金運に良い日です。

今日は家族や友人に手作り料理をふるまいましょう。食材をすべて自然
食で出汁もカツオや昆布から取って手間暇かけてみましょう。
[青い手] は「体験する、癒し、チャンスをつかむ」エネルギーが流れて
います。頭で考えているだけでなく、実際にやってみることで見えない
気持ちが体全体に伝わり、不調が改善していくチャンスをつかむことに
繋がっていきます。
またお金と縁があるエネルギーが流れています。特に食べる物には節約
し過ぎずないよう気をつけましょう。
1 人の方や手作り料理が難しい方は [青い手] のサポートになるご飯と味
噌汁だけでもていねいに作り、自分を癒してみましょう。

KIN 228 ★

黄色い星（ラマト）
白い風
音7

不満を招く思考回路がないか見直してみましょう。
前進することを意識しましょう。

「もっと頭が良かったら」「もっと痩せていたら」などの思いにとらわれ
ていると、不満を招く精神を作ってしまい、現状は何も変わりません。
[黄色い星] は「姿形を美しく、ハードルが高い」エネルギーが流れてい
ます。完璧を求めすぎると「○○すべき」「しなければならない」という
考え方になってしまいます。
精神性を育む上で大切なことはまず「前進」することです。自分の得意
なこと、自分ができることを 1 つずつ書き出してみましょう。分からな
い場合は人に聞くと客観的意見がもらえます。
クラッシック音楽が [黄色い星] と [白い風] の精神性を高めるサポート
になります。

KIN 229

赤い月（ムールク）
白い風
音 8

理想の自分をイメージしましょう。
悩みは口に出さず、書き出しましょう。

今日は今の自分の状況や環境とは関係なく、理想の自分の姿を強くイメージして 10 分瞑想、もしくは 5 分深呼吸をしましょう。
不満を抱いても、それを打ち消すイメージが強いと、人は強い方に引っ張られるので、不満は少しずつ軽減されていきます。良いイメージをする習慣をつけましょう。
[赤い月] は「浄化」のエネルギーが流れています。悩みや不安は抱え込まず書き出すと、浄化のエネルギーと共に洗い流すことができます。そして書き出すことで、漠然と抱えていた悩みの解消の手がかりに気づくことにもなります。[赤い月] のサポートとなるエスプレッソコーヒーがイメージを強く持つ手助けになります。

KIN 230

白い犬（オク）
白い風
音 9

足下を固めましょう。
視点を変える準備をしましょう。

精神性を整えるために欠かせない自己肯定感を高めましょう。具体的には家族や友人に自分の良いところを 10 個聞いてほめてもらい、書き留めておきましょう。落ち込んだ時にそれを見返す準備をしておきましょう。
[白い犬] は「教育、訓練、忍耐」のエネルギーが流れています。人の言動に一喜一憂しないよう、良いように解釈する訓練をしましょう。
「飽きっぽい」→「執着がない」、「頑固」→「信念がある」、「鈍感」→「打たれ強い」など、ネガティブな言葉をかけられてもポジティブに変換したとらえ方をしてみて下さいね。
訓練のあとは [白い犬] のサポートになる甘いスイーツで自分を満たしましょう。

KIN 231

青い猿（チューエン）
白い風
音10

楽しいと思うことを全力でやりましょう。
精神を整える体験をしてみましょう。

今日は [青い猿] の「楽しむ、遊ぶ、高い精神性、命を育む」エネルギー
が流れています。清らかな水に触れられる滝や川のある場所へ行きまし
ょう。実際にその場で水に触れ、手を洗うことで波動が上がります。行
けない方は滝や水が流れる動画を見て実際に滝へ行った気分をイメージ
しましょう。
また座禅を体験し、姿勢、呼吸、心を整えることをしてみましょう。ホ
ロンワーク（P.19）をして宇宙の流れを体全体で感じてみましょう。
「音 10」の日は「仕上げる」エネルギーが流れています。KIN222 から 9
日間でやり残したこと、気になることをやってみましょう。
自分へのご褒美として鯛料理を食べてエネルギーを整えましょう。

KIN 232

黄色い人（エブ）
白い風
音11

アートに触れる時間を持ちましょう。
過去にこだわらず新たな可能性に挑戦しましょう。

今日は花を飾る花瓶、器を購入しましょう。できれば少し高価で長く使
えそうな物、花が入ってなくても花瓶だけでもインテリアになる物を選
んでみましょう。
[黄色い人] は「こだわる」エネルギーが流れています。自分の限界を超
える考え方を 1 つしてみましょう。例えば「いつも失敗するから言わな
い」ではなく、「いつも失敗するけど言い続ける」と考えることで、行動
に移すための精神性を養うことに繋がります。
「音 11」の日は「発散する」エネルギーが流れています。画廊や個展に
出かけ芸術鑑賞をすることでエネルギーを発散するサポートになります。

KIN 233

  赤い空歩く人（ベン）
白い風
音 12

自分の幸せについて考えてみましょう。
自分の心の叫び、魂の叫びに耳を傾けましょう。

自分が人生の主人公になっているか、意識してみましょう。主人公が自分だと言える幸せを十分実感できていますか？
主人公になるためには自分の好きなところと嫌なところの両方を認めた上で、自分の未来を選択していくことが必要です。自分の嫌なところに対しては「他の視点はないか？」「本当に嫌なだけ？」と視点を変えてみて下さいね。例えば 3 日坊主で継続しない自分が嫌だったとします。なぜ 3 日坊主で続かないのか？　続ける理由が明確でないから続けていないだけじゃないか？　と視点を変えることができます。
[赤い空歩く人] は赤いフルーツが入った甘いスイーツが心身の癒しをサポートします。

KIN 234

  白い魔法使い（イーシュ）
白い風
音 13

ボランティアを実践してみましょう。
手放すこと、仕上げることを意識しましょう。

人の役に立つことをしてみましょう。身近で実践できるゴミ拾いや掃除、寄付や情報発信、募集しているボランティアに応募するなど、何か 1 つ実践してみましょう。難しい方は、家族や友人、職場の人の誰かに自分が役に立てそうなことを見つけて、家事の手伝いや友人の悩み相談に乗る、職場で忙しそうな同僚にランチを買ってきてあげるなど、どんな小さなことでも実際やってみましょう。
「音 13」の日は「仕上げる」エネルギーが流れています。この 13 日間を振り返り、やり残したことや気になったことがあればそれをやりましょう。[白い魔法使い] は「受容」のエネルギーが流れています。様々な色が織りなすステンドグラスのインテリアを寝室に置き、心を整えましょう。

あなたの不調を調合する期間

KIN235 ～ KIN247

柔軟な発想で物事を
見ることを意識しよう

KIN235 ～ KIN247 までの 13 日間は特に心の目で見る、柔軟な発想で物事をとらえる、ビジョンを立てることを意識して過ごしてみましょう。

KIN235

青い鷲（メン）
青い鷲
音 1

世界観を広げ、計画を立てましょう。
心に宣言しましょう。

今日は旅行や普段訪れない場所に行く、新しい習い事を始める、休日に体験することを計画してみる、などをしましょう。まったく違うことや今まで体験したことがないことをすると新しい気づきを得ることに繋がります。

[青い鷲]は「ビジョンを描く」エネルギーが流れています。現状や環境は関係なく、未来に実現している自分の姿を想像してビジョンを文字で書き出しておきましょう。

今日は[青い鷲]のサポートになるライラックやパープルの小物を身に着けて出かけましょう。FB グループに入っている方はぜひ、今日考えたあなたのビジョンを投稿してみて下さいね。

KIN 236

  黄色い戦士（キープ）
青い鷲
音2

メリハリをつけ、休む時間を持ちましょう。
自分に向き合いましょう。

今日は「音2」の「オン・オフをハッキリさせる」エネルギーが流れています。1日の内、1時間ぐらい何もしない時間を持って心身を休めることをしてみましょう。難しい方はいつもより少しでも早く寝て下さいね。何もしない時間を持つことで思考が働きやすくなり、心にゆとりが生まれ、心の目で見る視点を持つことができるようになります。
[黄色い戦士] は「前進、自己に向き合う」エネルギーが流れています。常に前向きに物事を考えましょう。例えば「心の声を聞くには？」「自分の理想の姿とは？」「自分の本当にやりたいことは？」という問いを、自分に向き合って投げかけてみて下さいね。
白身の魚が自分に向き合うサポートになります。

KIN 237

  赤い地球（カバン）
青い鷲
音3

心を開きましょう。
心と体が柔らかくなることをしましょう。

自問自答して色々な視点から答えを出すことを意識しましょう。
答えが1つしかないと考え方が偏り、柔軟な発想で物事を見ることは難しくなります。例えば今の自分のマイブームは？　と考える時、「いつから始めた？」「なぜ始めたの？」「それを始めてどんな変化がある？」「ブームはいつまで続きそう？」「誰に教えたい？」と、色々な視点で自分に質問して答えてみて下さい。
答えは複数あればあるほど、柔軟な発想で物事をとらえられる証拠です。
季節のフルーツが自問自答のサポートになります。
[赤い地球] は「リズムを整える」エネルギーが流れています。リズム感のいい音楽を聞く、ダンスをするとシンクロ（P.19）です。

KIN
238

白い鏡（エツナブ）
青い鷲
音4

ゼロベースで考えることをしましょう。
自己探求をしましょう。

今日は「もし」を想定して物事を見てみましょう。例えばもし今の両親
じゃなかったら、今の家族がいなかったら、今の仕事をしていなかった
ら……と考えてみましょう。今ある環境や人がすべてゼロ（無し）とし
て考えるので、視点が新しく変わるきっかけになることと思います。
[白い鏡] は「美しく、映し出す」エネルギーが流れています。映画、テ
レビ、動画で心が喜ぶ作品を1つ見てみましょう。また食事をする時は
食事に集中しましょう。スマホを見たり、雑誌を読んだりせず、鏡に自
分の姿を映して食べて食事の姿勢、お箸の持ち方を正してみましょう。
「音4」の日は「探求する」エネルギーが流れています。自分の未来の理
想の姿を自由に発想して書いておきましょう。

KIN
239

青い嵐（カウアク）
青い鷲
音5

ストレスを発散させましょう。
思考と感情のバランスを整えましょう。

[青い嵐] は「パワフル、思い込む、巻き込む」エネルギーが流れていま
す。思いっきり心にたまっているストレスを発散できる日です。
今日はカラオケに行ったり、大きな声を出してストレスを発散させま
しょう。オススメは楽しい歌を歌うことです。なぜならポジティブな考
え方が増し、心が晴れるからです。
「青い嵐」は濃い色のフルーツ、プルーンやプラムを食べると思考と感情
のバランスを取るサポートになります。
また今日は思い込むエネルギーが強いことから、勘違いや忘れ物が多く
なる傾向があります。出かける前や、外出先から帰る時には、忘れ物が
ないかチェックして下さいね。

KIN 240

黄色い太陽（アハウ）
青い鷲
音6

願望に素直になりましょう。
自分が主人公だと意識してみましょう。

今日は［黄色い太陽］の「明るい、楽しい、願望を明確にする」エネルギーが流れています。頭の中で自分の今思っている願望をイメージしてみましょう。そしてそのイメージに合わせて、好きなように太陽の絵を描いてみましょう。難しい方は頭の中で黄色い太陽をイメージしてみて下さい。気分が明るくなります。また「私は太陽のように明るい人」と3回呟いてみましょう。
実際に天気が良い日は外に出て日光浴を、雨の日は黄色い太陽のサポートになる鉄板焼料理を食べましょう。
「音6」の日は「マイペース、先導者」のエネルギーが流れています。ペパーミントの香りが1日の疲れを癒してくれます。

KIN 241

赤い竜（イーミッシュ）
青い鷲
音7

他者の意見に耳を傾けてみましょう。
将来、こうなると良いなぁと思うことを刻印しましょう。

今日は価値観の違う人たちとの交流をしましょう。［赤い竜］は「命を育む」エネルギーが流れています。市民講座の講演に行ってみる、芸術家の作品現場を見学する、世代、性別が接点のない人が集まるサークルに参加してみましょう。難しい方は異業種の「育成」「新しい挑戦」「新たな物を生み出す」などの仕事をしている人のことを、本や雑誌で読んでみましょう。価値観の違う人の考え方や発想で自分にはないと思ったこと、感じたことをメモしておきましょう。［赤い竜］のサポートになるチョコレートが価値観の違う人たちとの交流をうまく繋げてくれます。
また今日は特に宇宙と強く繋がるエネルギーが流れています。「私は宇宙の叡智を吸収し手本になります」と宇宙に向かって唱えてみましょう。

KIN 242

白い風（イーク）
青い鷲
音8

客観的に自分を見ることを意識しましょう。
人や動物に合わせることをしてみましょう。

今日は[白い風]の「共感、伝える」エネルギーが流れています。視点を
1つに絞らず、複数のやり方を考えてみましょう。
例えば海外旅行の行先は複数国を選択枠に入れる、デザートは洋菓子、
和菓子を複数食べ比べしてみる、舞台やコンサートを1日で複数鑑賞す
るなどを友人や家族と一緒に体感し、感想や何を感じ、思ったかをシェ
アし合って下さいね。
「音8」の日は「動物の気持ちに合わせる」エネルギーが流れています。
動物に直接触れて肌で感じ、動物に寄り添い語り掛けてみましょう。動
物園に行き、複数の動物の目を見て何を考えているのか、どんな特徴が
あるのかなぁ、と想像してみて下さいね。

KIN 243

青い夜（アクバル）
青い鷲
音9

思考力と行動力を鍛えましょう。
頭をフル回転させましょう。

[青い夜]の「イメージする」エネルギーに合わせ、暗算や暗記、「数独」
パズルで柔軟な発想を鍛えましょう。買い物をする時にあらかじめ暗算
して計算しておく、友人や大事な人の電話番号を5人分暗記する、1日
1つ数独パズルを解くなどすると脳が活性化し、仕事や家事の効率も良く
なります。また、脳と身体を同時に刺激するデュアルタスク（二重課題）
で脳を鍛えましょう。オススメは歩きながら引き算をする方法です。300
がスタートで、7ずつ引いていく計算です。これなら、特別な時間を取ら
なくても、日常の行動にプラスするだけでできます。300 → 293 → 286
と歩く時間を使って7を引く計算をしてみて下さいね。夕食のあとは食
べたことがない甘いスイーツで糖分補給もお忘れなく！

KIN 244

黄色い種（カン）
青い鷲
音 10

良い意味で徹底的にこだわりましょう。
興味のあるものに没頭してみましょう。

[黄色い種] の「気づき、覚醒」のエネルギーに合わせて連想、推理ゲームに徹底的に取りくみましょう。ミステリー映画やドラマを見て犯人を推理してみる、また、「連想ゲーム」で検索するとゲームを解く問題がたくさん掲載されていますので、それを解いてみましょう。
「音 10」の日は「隠された能力を引き出す」エネルギーが流れています。自分が興味のある分野を探求すると脳が活発に動き、ネガティブな思考が軽減していきます。お喋りが好き、食べることが好き、好きなアーティストに夢中など、自分が楽しいと思うことを 1 つ探求してみましょう。
[黄色い種] のサポートになるオレンジ系のアロマで集中力を養う、またはオレンジを食べて下さいね。

KIN 245

赤い蛇（チークチャン）
青い鷲
音 11

自分のすべてのエネルギーを放出しましょう。
リラックスすることをしましょう。

今日は [赤い蛇] の「感受性豊かな」エネルギーと、[青い鷲] の「敏感」なエネルギーが流れています。どちらも神経を使うことから、リラックスする時間を作ってみましょう。
オススメはデスクに緑の観葉植物を置く、チョコレートをベリーティーと一緒に食べる、肩甲骨を 10 回程回す、ヘッドスパを受ける、などです。またできるだけ長い時間ガムを噛みましょう。グミでも構いません。噛むことは脳が活性化されストレス解消やエネルギー発散効果があります。時間にゆとりがある方はランチを持参して、実際に緑の多い場所（公園や山）へ行き 2 時間ほど滞在して芝生のあるところで寝転がり、リラックスして感覚を研ぎ澄ませてみましょう。

白い世界の橋渡し（キーミー）
青い鷲
音 12

普段と違う出会いを持ちましょう。
ビジョンをイメージしましょう。

今日は [白い世界の橋渡し] の「繋ぐ」エネルギーが流れています。普段
と違うお店で買い物をしたり、普段使わない駅を利用する、いつもと違
う店でランチを食べる、または、普段身に着けないアクセサリーを 1 つ
付けてみましょう。
普段と違う出会いには無意識に自分を刺激し、新たな可能性を繋ぐ役割
があります。
「音 12」の日は「問題解決する」エネルギーが流れています。目を閉
じて丸をイメージして「すべては丸、オッケー、繋がっている」と唱え
てみましょう。夜寝る前に「私は起きることすべてを受け入れ、手放し、
再生します」と唱え、宇宙と繋がるイメージを持ってみましょう。

青い手（マニーク）
青い鷲
音 13

柔軟な発想を持つために実際に体験しましょう。
1 つのことに没頭し物事を成し遂げましょう。

今日は [青い手] の「手を使う、癒す」エネルギーが流れています。ハン
ドマッサージを受ける、自分でできるセルフハンドマッサージをするな
どして心身を癒してみましょう。
また、この 13 日間でやり残したこと、やろうと思いつつできなかったこ
とを 1 つやりましょう。[青い手] は「手先が器用」、「音 13」も「器用」
なエネルギーが流れています。KIN240 の日に太陽を描いたように、手を
使ってビジョンを書く、図や絵に描くことをしてみて下さいね。
[青い手] と [青い鷲] にはラベンダーの香りが心身の癒しに繋がります。
FB グループに入っている方はこの 13 日間を振り返り、体験したことを
投稿して下さいね。

あなたの不調を調合する期間

KIN 248 ～ KIN 260

すべての不調を受け入れ、
軌道修正を意識しよう

KIN248 ～ 260 の 13 日間は KIN1 ～ 247 までの総まとめとして「健康、姿形、目標や夢、自己受容、断捨離、人間関係」を整えることを意識して過ごしましょう。

KIN 248

 黄色い星（ラマト）
黄色い星
音 1

根気強く準備しましょう。
落ち着いてゆっくり歩く日です。

自分の望む人生を生きるため、不調を解消するために、根気強く続けていることがあるか確認しましょう。特にない方は花屋に足を運んできれいだなぁ、かわいいなぁと思う花、もしくは [黄色い星] のサポートになるユリを 1 輪買って飾り、自分に向き合う時間を作ってみましょう。
[黄色い星] は「芸術に触れる」エネルギーが流れています。美術館に行ったり、美しい環境に触れると、不調が改善する流れを作り出せます。自分がこれを体験すると心が安らぐ、美しいと感じる、ということをして過ごしてみて下さいね。また KIN260 日サイクルも、残り 13 日です。ゆっくり自分の身の回りを整えるために自宅、外出先、職場への道中は急がずゆっくり落ち着いて歩くことを意識してみて下さいね。

KIN 249

赤い月（ムールク）
黄色い星
音2

思いやりと温かい気持ちで人と接してみましょう。
一旦沈むが必ず良くなるという流れの日です。

日々の当たり前のことは、実は奇跡だ、ととらえてみましょう。家族がいること、仕事があること、楽しいと感じる心を持っていることは当たり前ではなく、奇跡であると思うとどんな感じがするでしょうか？　本来側にいて当たり前の家族がいなかったら、一緒に食事をすることもないし、一緒に旅行に行くこともできません。

［ 赤い月 ］は「浄化、新しい流れを作る」エネルギーが流れています。今不調を抱いていることも浄化の元ととらえ、今後良くなるために一旦、不調を感じているのだと考えてみて下さいね。例えば遠くへジャンプする時、一旦大きく屈みます。飛躍する前は一旦、沈むことがあるととらえてみましょう。「赤い月」はゼラニウムの香りが浄化のサポートになります。

KIN 250

白い犬（オク）
黄色い星
音3

人との接し方を確認してみましょう。
徹底的に人を愛しましょう。

今日は人と接する時に自分が何を意識しているか確認しましょう。
例えば笑顔で明るい声で話しかける、目を見て話をする、相手に寄り添う姿勢を心がけている……、思いつく限り書き出してみましょう。特に何もない方はこの機会に明確にしてみて下さいね。意識するとそれがエネルギーに変わり相手に伝わるので人間関係の改善に繋がっていきます。

［ 白い犬 ］は「家族愛」、「音3」は「繋ぐ」エネルギーが流れ、オレンジのアロマが家族の輪をサポートしてくれます。
玄関をオレンジの香りで整えましょう。人と接する時もオレンジのフレグランスを身につけて楽しい交流のサポートにして下さいね。

KIN 251

青い猿（チューエン）
黄色い星
音4

楽しみを感じながら過ごしましょう。
宇宙と繋がる言葉を唱えましょう。

今日は本書を手に持ち、目を閉じて適当にパラパラっとめくって直感で開いたページにあるメッセージを意識して過ごしてみましょう。もし開いた中に[青い猿]があれば、その日のメッセージをオススメします。
[青い猿]は「遊び心」のエネルギーが流れています。仕事でも家事でも勉強でも「いかに楽しんでできるか」を意識してみましょう。
例えば、好きな小物がデスクにあると癒される、好きな洋服を着ていると楽しく過ごせる、「大丈夫、何とかなる」を口癖にしてみるなど。日常を楽しめることを取り入れてみて下さいね。また[青い猿]は「水との縁、高い精神性」と繋がるエネルギーが流れています。夜お風呂で「私は素直な心で目覚め好転し続けます」と唱えてみましょう。

KIN 252

黄色い人（エブ）
黄色い星
音5

根気強くやり遂げましょう。
思ったことが叶う日です。

自分のしたことは自分に返ってくることを意識して過ごしましょう。例えば悪口をたくさん言ったら、悪いことがまた巡ってくるというのが自然の法則です。逆に良いことをたくさん言うと、嬉しいことが巡ってきます。私も含めて多くの人が実践し効果を感じていることが「ありがとうございます」を、たくさん言うことです。これは最も簡単で今すぐできることとしてオススメします。感情が伴わなくても、感謝することがなくても「ありがとうございます」をただ言うだけです。5分で約100回言うことができますよ。[黄色い人]は「こだわり、道」のエネルギーが流れています。食後に[黄色い人]のサポートになるグレープフルーツを食べて下さいね。自分の望む新たな道へ誘導してくれます。

KIN
253

赤い空歩く人（ベン）
黄色い星
音6

不安や恐怖を解消するためにあえて行動してみましょう。
背水の陣で望むと運が開ける日です。

自分が本当に望むことに挑戦することは、そもそも怖いことだと受け止
めてみましょう。何か新しいことをする時、失敗したら、損したら、騙
されたらどうしようと色々考えて、結局やらない選択をしてしまいがち
です。でも、本当に心から自分が望むことであれば何度失敗しても諦め
ないし気になりません。なぜならビジョンがあり目的があるから怖いこ
とも受け止めて進んで行けるのです。自分が上記の理由で諦めてしまっ
たこと、もしくは今挑戦したいけど決心がつかないことがあれば、今日
はその夢や目標のために行動すると決めてみましょう。
[赤い空歩く人] は「忍耐、成長の手助け」のエネルギーが流れています。
1 日頑張った自分にご褒美として普段と違う贅沢な食事をしましょう。

KIN
254

白い魔法使い（イーシュ）
黄色い星
音7

身辺を身軽にすることをしましょう。
終わりよければすべて良し、を信じる日です。

今日は 2 年以上着てない服や物を捨て、クローゼットを徹底的にきれい
にすることをしてみましょう。長年着ない服や物をずっと持っていると
空間が重たくなり、「気」が重くなり、人のやる気や元気を少しずつ消
耗させてしまいます。クローゼットの中は 2 〜 3 割空間を作っておくと、
エネルギーが循環し、身も心も軽くなります。
[白い魔法使い] は「受容」のエネルギーが流れ、マヤオラクルカードで
は虹の絵が描かれています。1 日の終わりに虹を思い浮かべながら「今
日も無事に過ごせました、私はすべてを受け入れます」と言ってみまし
ょう。FB グループに入っている方は [白い魔法使い] のカードをアップ
しますのでご覧になり、カードからエネルギーを感じてみて下さいね。

青い鷲（メン）
黄色い星
音8

光が当たっていない心の側面を
少しずつ明るみに出しましょう。

苦手なことからビジョンを得ることを意識してみましょう。
例えば人に教えることが苦手だと思う方は本来、教えることに才能があると言われています。なぜなら人は興味のないことには無反応なので、苦手だと思う＝反応している＝興味があるということになります。普段「苦手」だと思っていることの中にも、思わぬパワーが潜んでいるのです。
[青い鷲] は「クール、ビジョンを持つ」エネルギーが流れています。日常の中でどんなことに苦手意識を持っているかを思いつく限り書いて、そこから自分のビジョンを導き出すエネルギーをもらいましょう。
クールな香りがするディープブルーやペパーミントの香り、ミントガムが1日の疲れを取り除いてくれます。

黄色い戦士（キーブ）
黄色い星
音9

普段想像もしないようなことを考えてみましょう。
自分に起こることを正直に受け止めましょう。

今日は [黄色い戦士] の「挑戦、自己と向き合う」エネルギーが流れています。過去の体験、今抱えている不調が今の自分を支えているととらえてみましょう。
例えば私は以前病気になった経験があり、そこから健康に向き合い、今の自分がいます。当時は落ち込み、辛く苦しい日々が続きましたが、そのお陰で今の仕事をするきっかけを頂くことになりました。
また「音9」の日は「傾聴、ワクワクする」エネルギーが流れています。人の話に想像もしなかったワクワクすることがあるかもしれません！
いつも以上に真摯に聞く姿勢を意識してみて下さいね。
黄色い色の物を身につけると、ワクワク楽しむサポートになりますよ。

257

赤い地球（カバン）
黄色い星
音10

焦らずじっくり悠々自適に過ごしましょう。
シンクロ（P.19）は向こうからやってくる日です。

今日は包容力について考えてみましょう。包容力があるとトラブルや不調が起きても様々な視点から物事を見ることができるので、冷静に対処できるようになります。
[赤い地球] は「絆、繋がり、バランス感覚に優れる」エネルギーが流れています。内面的なことでは短所を受け入れる、外面的なこととして身近な人とハグもしくは握手をして、心身共に絆を結ぶことをしてみて下さいね。「音 10」の日は「生み出す」エネルギーが流れています。[赤い地球] のサポートになるブルーベリーやラズベリーを「心身のバランスを取り自覚していない可能性を引き出してね」という思いを持って食べてみましょう。

258

白い鏡（エツナブ）
黄色い星
音11

自分の内面をみつめましょう。
無理してやらないようにしましょう。

望む人生を生きるために師匠がいるか確認してみましょう。
灯台下暗しということわざがあるように、自分のことは気づきにくいことが多いので、自分が進む道を先に行っているプロに指摘してもらう環境を準備しておきましょう。例えば料理人になりたい夢がある人は、自分のジャンルの料理の世界で一流の人を師匠として探してみましょう。
[白い鏡] は「切り捨てる、内面を映し出す」エネルギーが流れています。ネガティブな感情（悲しみや苦しみ、落ち込んだこと）をいらない紙に書き、書き終わったら思いっきり破って捨てましょう。
また実際に髪を切る、食材を切る、物作りで切ることをして、気持ちをリフレッシュするとシンクロです。

KIN 259

青い嵐（カウアク）
黄色い星
音12

ワクワクすることにエネルギーを注いでいるか確認しましょう。緩急をつけることを意識しましょう。

「やる気」と「ひらめき」について意識してみましょう。
[青い嵐]は「変容、巻き込む、アクセル」のエネルギーが流れています。やる気だけで空回りしたり、ひらめくけれど実際の行動に繋がらないということでは、現実は変わりません。短期的ではなく長期的に持続可能な行動を意識してみて下さいね。
そのために心（魂）も体もワクワクすること、面白そう、楽しそう、これをしていると幸せを感じることを1つ体験してみましょう。「音12」の日は「協力する」エネルギーが流れています。仲間と一緒に応援や励まし合うことで長期継続が可能になります。ラベンダーが心身の疲れを癒します。アロマや植物、青色小物を身の回りに置いて下さいね。

KIN 260

黄色い太陽（アハウ）
黄色い星
音13

宇宙に感謝を表し、1日を過ごしましょう。マヤ暦を日常に取り入れてから今日までを振り返り、気持ちを整えましょう。

今日はすべてにおいて受け入れる気持ちで過ごしましょう。健康、仕事、お金、夢や目標、社会貢献、趣味、人間関係において「いつも〇〇してくれてありがとう」と日頃の感謝の気持ちを表してみて下さいね。
[黄色い太陽]は「感謝」のエネルギーが流れています。宇宙には同じ物は共鳴する法則があり、感謝は感謝を呼んできます。不調は不調を呼んできます。どちらを選択するかは自分次第です。
「黄色い太陽」の日は天気の日は太陽の光を浴び、雨の日は温泉やスパへ行き全身を温め「私は宇宙の中心として自らエネルギーを発揮します」と宇宙に宣言してみましょう。FBグループに入っている方はこの13日間、または260日の振り返りをして今の気持ちを書き込んで下さいね。

おわりに

命は永遠である　〜マヤ暦の教え〜

　本書を手に取っていただき、ありがとうございます。

　マヤ暦では命（魂）は永遠であり、死は愛と光の世界にかえることと教わり、物事に対するとらえ方、考え方の視点が変わっていきました。魂は永遠に続くととらえると、今自分が生きている意味は何だろう？　とアンテナを立て、意識することが多くなったように思います。

　そのおかげでマヤ暦の流れに合わせて意識して行動することで、今は自分が本来望むことを思い出し、明確になりました。そしてそこに向かうため、毎日充実した日を過ごすことができるようになりました。

　そして何か私でお役に立てることはないかとずっと模索し、自問し、「体力だけでなく心力をつけませんか？」「頑張ることを止めてみませんか？」をコンセプトに、マヤ暦をベースに脳科学や心理学、自然治癒力を高める浄化療法を取り入れ、体力だけでなく心力もつけて心身共に健康な人を増やすことをビジョンに活動させていただいています。

　これまで5000人以上の方の個人コンサルティングをさせていただき感じることは、多くの方が自分の本来望むことを何か特別なこととしてとらえている様子で、何も見えていない状態であるということです。「あんな風になれたらいいなぁ」「あんな人になれたらもっと人生変わるのに」と思った経験はありませんか？　誰しも1度は経験があることと思います。もし自分がそう思った時は、あなた自身がその分野に才能があると思って下さい。人は興味のないことには意識が働かないからです。あなたがこの人素敵だなぁ、憧れるなぁということに意識を向けて、本書のそ

の日のサポートを使いながら行動に繋げてみて下さい。

　本書は他の本と違って、早見表でその日のエネルギーを読み、意識する、という形ですので、初めてのことを体験された方も多いと思います。日々のメッセージから「これは良いかも」「やってみよう」と小さなことを実践していくことが大切です。

　私が探求し気づき、学び、実践し結果を出したことをクライアントさんにお伝えし、劇的に人生が変わっている方がたくさんいらっしゃいます。そのすべてに共通していることが「結果ではなく日々のプロセスを大切に取り入れたこと」です。自分の本当に望むことは何か？　このタイミングで向き合うきっかけとなれば嬉しく思います。そして心力をつけることに共感しこの活動を一緒にして下さる仲間が増えれば嬉しく思います。

　FBグループでは、本書のサポートも含め、私が今も日々マヤ暦を探求し結果が出てきたことを、お勧めの過ごし方として公開していきます。よろしければご参加頂き、他の方々とも交流をして頂ければと思います。

　この本が多くの方の自分の本来望むことを思い出し、明確にすることに役立てたら幸いです。

　最後に、この本を企画からサポートして下さった城村典子さん、数々のアドバイスを下さった編集の小根山友紀子さんに感謝します。そしてこれまでの講座受講生の皆さま、クライアントの方々がいらしたからこそ、この本が成り立っています。この場を借りてお礼を申し上げます。いつも支えて下さり、本当にありがとうございます。

2020年3月　夢の種をイメージする日に。

ハートヘルスコンサルタント　*nami*

nami (ナミ)

マヤ暦探求家　ハートヘルスコンサルタント

20歳代に大病を患うも、心を整える健康法と出会い奇跡的に回復する。その後、マヤ暦によって自分の本来持つ姿、使命を知り、大病も奇跡の回復も腑に落ち、探求を始める。現在はマヤ暦をベースに心理学、脳科学、浄化療法を取り入れた個人コンサルティングを中心にオンライン講座やセミナーを開催。自分本来の姿で生きるサポートをしている。

ブログ「アラフォー女子が心力をつけて本来望む姿を思い出すマヤ暦からのメッセージ！ in 大阪」http://ameblo.jp/emeral/

貴女が調う　マヤ暦からの毎日のメッセージ
──古代マヤ260日暦とシンクロして人生を再生する本──

2020年5月6日　初版第1刷
2023年7月14日　初版第5刷

著　者 ── nami（ナミ）
発行人 ── 松崎義行
発　行 ── みらいパブリッシング
　　　　　〒166-0003 東京都杉並区高円寺南4-26-12 福丸ビル6F
　　　　　TEL 03-5913-8611　FAX 03-5913-8011

　　　　　企画協力　Jディスカヴァー
　　　　　編集協力　田中英子
　　　　　本文イラスト　門川洋子
　　　　　編集　小根山友紀子
　　　　　ブックデザイン　堀川さゆり

発　売 ── 星雲社（共同出版社・流通責任出版社）
　　　　　〒112-0005 東京都文京区水道1-3-30
　　　　　TEL 03-3868-3275　FAX 03-3868-6588

印刷・製本 ── 株式会社上野印刷所